IN NEW YORK
A SELECTION

JEWISH POETRY SERIES

Allen Mandelbaum / Yehuda Amichai GENERAL EDITORS

Pamela White Hadas

IN LIGHT OF GENESIS

Else Lasker-Schüler

HEBREW BALLADS AND OTHER POEMS

Dan Pagis

POINTS OF DEPARTURE

Avoth Yeshurun

THE SYRIAN-AFRICAN RIFT AND OTHER POEMS

Moyshe-Leyb Halpern

IN NEW YORK

A SELECTION

Translated, edited, and with an introduction by KATHRYN HELLERSTEIN

The Jewish Publication Society of America · Philadelphia 5742 / 1982

First edition
Manufactured in the United States of America
Yiddish text is from the third edition of In New York, *published by Farlag Matones, New York, 1954, permission granted by Noah Zingman.*
Some translations included here were published previously in The Kenyon Review, Modern Jewish Studies Annual III, Midstream, *and* Voices within the Ark: The Modern Jewish Poets.

Library of Congress Cataloging in Publication Data
Halpern, Moshe Leib, 1886–1932.
In New York.
(Jewish poetry series)
Translation: of In Nyu-York.
Yiddish text, parallel English translation.
Bibliography: p.
1. New York (N.Y.)—Poetry. 2. Jews—New York (N.Y.)—Poetry. I. Hellerstein, Kathryn. II. Title. III. Series.
PJ5129.H33I5213 839'.0913 82–15211
ISBN 0–8276–0209–X AACR2
ISBN 0–8276–0210–3 (pbk.)

Designed by Adrianne Onderdonk Dudden

Acknowledgments

These organizations provided fellowship support, which enabled me to complete the doctoral dissertation (1981), in the English Department at Stanford University, from which this book is drawn: the National Foundation for Jewish Culture, William and Gertrude Lipman Scholarship Foundation, and the Fox Fund.

I am particularly grateful for the criticism and encouragement offered throughout the various stages of this book by many people, including Professor John Felstiner of Stanford University, Professor Benjamin Hrushovski of Tel Aviv University, and the late Professor Bernard Martin of Case Western Reserve University. I warmly thank Darra Goldstein, my sister Susan Hellerstein, and especially, Richard Strier of the University of Chicago.

A number of people and institutions generously have made available hard-to-find Yiddish sources: the Library and Archives of the YIVO Institute for Jewish Research; the Jewish Bund Archives; Miriam Leikind, former head-librarian of the Abba Hillel Silver Collection at The Temple, Cleveland; Sendor and Mindele Wajsman, former directors of the Workman's Circle in Cleveland; Professor Emeritus Norman Drachler of Stanford University; and the late Dr. Hyman Goldberg of Rochester, New York.

My thanks go to Professor Isaac Halpern of the University of Washington for an illuminating interview, a survey of Moyshe-Leyb Halpern's artwork, and the frontispiece. I also thank Maier Deshell and Allen Mandelbaum.

To my parents, Herman and Mary Hellerstein,
and Malka Heifetz Tussman.

Contents

Moyshe-Leyb Halpern, self-portrait, 1922.

Introduction

I

In 1919 a young Galician immigrant to New York City, Moyshe-Leyb Halpern, published his first book of Yiddish poems, *In New York*. This volume presents a selection of poems from that book, most of them in English translation for the first time. Incorporating about one-third of the original, it includes the best of Halpern's early poems and tries to maintain in the selection a sense of the ambitious narrative that was Halpern's intended design.

Most of the nearly two million Jews who emigrated from eastern Europe between 1881 and the beginning of the First World War initially settled in New York City. Halpern was one of them, a tall, slender, bespectacled man of thirty-three in 1919, attempting to make a new home in English-speaking America. However, like many of the immigrants, Halpern continued to feel linguistically at home in Yiddish, the language of the Jews in the *shtetlekh* (small towns) of Poland, White Russia, Galicia, and in the ghettos of the cities—Vilna, Warsaw, Odessa, Kiev, Brest-Litovsk, and now, in America.

By the time Halpern published *In New York,* Yiddish poetry was finding its full scope and power as a modern literature. Only decades had passed since Abraham Goldfaden, in 1876, wrote and produced the first Yiddish play in a Romanian wine cellar. The theater songs from this play were among the first modern Yiddish poems. These songs and imitation theatrical songs along with the older oral traditional forms—the folk song, the moralizing verse of the *badkhn* or wedding jester, and the popularized biblical verse narratives—prepared the ground from which modern Yiddish poetry grew.

Like the Yiddish novel, which began as a didactic tool of the Haskalah (the Jewish Enlightenment movement in the mid-nineteenth century), early modern Yiddish poetry initially found its force and wide audience in the popular Jewish socialist movement. The poetry of Morris Rosenfeld (1862–1923), David Edelstat (1866–92), Joseph Bovshover (1873–1915), and Morris Winshevsky (1856–1934) preached socialist ideology, decried proletarian suffering, and predicted the coming revolution. By the 1910s, Yiddish poetry had expanded to include other than political matters. Abraham Reysen (1876–1953), Yehoash (1872–1927), and Abraham Liessen (1872–1938) brought Jewish national and cultural issues into Yiddish poetry. Translations carried the classical and modern works of European, American, and even Oriental thought and literature into Yiddish.

Moyshe-Leyb Halpern came onto this variegated scene of Yiddish literature. Raised in an enlightened *shtetl* home (his father was a *maskil,* an adherent of the Haskalah) in Zlotchev, Galicia, he spent ten of his formative years in Vienna. In his early twenties, Halpern returned from Austria and the German language, in which he had begun to write poetry, to the *shtetl* and to Yiddish. He could not stay in Zlotchev for more than a year because he would have been drafted, so after stopping in Czernowitz, Romania, for the first Yiddish Language Conference of 1908, Halpern traveled across Europe and the Atlantic to New York. There, in 1908, Halpern could not find work but he did find a group of innovative young poets who were reading and translating German, English, American, Russian, Hebrew, even ancient Greek and Chinese poetry into Yiddish. In the subsequent decades, they brought the diverse influences of Romanticism, Symbolism, Expressionism, and Modernism to bear against the didactic voice of existing Yiddish poetry. Mani Leyb, Reuven Ayzland, David Ignatov, Zishe Landoy, Joseph Rolnik, H. Leivik, Itzik Raboy, Joseph Opatoshu—all these poets and writers of very different talents shared a concern for the individual voice that expressed personal feeling and the perception of beauty. In this concern for the personal, these young writers challenged the conventions of the older Yiddish Labor poetry limiting the poet's vision to political and national issues.

Because their poetry incorporated new attitudes and ideas about the responsibility of the Yiddish poet, these writers had difficulty placing their works in the popular Yiddish press. Some of them joined together, in 1907, to establish *Yugend,* a journal, and adopted the name *Di Yunge* (The Young).[1] These poets published a series of anthologies, *Shriftn* (Writings), from 1911 on, and later, after they had divided into factions, another anthology, *Di Naye Heym* (The New Home, 1914). Although Halpern associated with *Di Yunge,* he could not cut himself off completely from the political and national traditions of Yiddish poetry.

1. For an excellent, detailed discussion of *Di Yunge,* see Irving Howe, *World of Our Fathers* (New York: Harcourt Brace Jovanovich, 1976), pp. 428–32 ff., and Ruth R. Wisse, "*Di Yunge* and the Problems of Jewish Aestheticism," *Jewish Social Sciences* 38 (1976): 265–76, and "*Di Yunge:* Immigrants or Exiles?" *Prooftexts* 1 (1981): 43–61.

In his own poems, Halpern struggles between the pull of political and of aesthetic standards, between the Jewish poet's traditional obligation to the community and the romantic or modern poet's responsibility to his individual voice and vision. The poems of *In New York* embody this struggle in Halpern's self-conscious, ironic versions of the Labor poem, such as "The First Spring Day" and "The Show Goes On." The narratives, "In A Foreign World" and "Portrait: My Grandfather," are concerned thematically with the poet's alienation from the Jewish community. Love poems, such as "Autumn," seem to isolate the purely individual voice from communal issues. But the struggle between the poet's responsibility to self and to community culminates in the final and most ambitious poem of the book, "A Night," where the protagonist dreams himself into a collective, historical voice, with which he tells simultaneously the stories of the poet and of his people.

From the tension created by the poet's dual responsibilities, Halpern fashions an ironic stance. His irony ranges from the gentle prodding in the voice of the persona in "Between Smoking Chimneys" to the strident bitterness of "Servile Blood." Halpern's irony attains its richest expression in the elegy "Isaac Leybush Peretz," and in the poet's reminder of his mortality, "Memento Mori." Another Yiddish poet, Malka Heifetz Tussman, once described Halpern to me in this way, "Er lakht mit yashtsherkes." Halpern "laughs with lizards," tortured, automatic laughter. "At once Halpern ridicules both the world and himself, for he is the world."

During the first ten years of his life in America, Halpern wrote a large number and wide variety of poems. It seems that at the outset he did not intend them to form a unified book. Toward the end of this decade, however, he selected ninety-five titles and ordered the chosen works into *In New York*, a volume notable for its thematic and narrative coherence.

With such an intricate and deliberate order, Halpern establishes a new kind of narrative in Yiddish, combining conventions of Yiddish poetry—the didactic and folk elements—with what he knew of American poetry, especially the personal voice and epic of Walt Whitman. Halpern tempers this voice, at once prophetic and personal, with the irony and satire he learned from reading and translating Heinrich Heine. He also combines conventions of Yiddish fiction—the satire of the Haskalah novelists and the irony of Sholem Aleichem's narrators—with conventional Yiddish poetic didacticism. These conventions merge in the ironic stance of the narrator who is both of and above the story he tells. We can say of Halpern what Hugh Kenner says of Yeats: "He was an architect, not a decorator; he did not accumulate poems, he wrote books."[2] This selection aims to reveal the structure of Halpern's architecture.

II

In an experimental verse narrative *In New York* presents the immigrant Jew's disillusionment and loss of hope in America. The narrative proceeds by repeating versions of a story in which a protagonist, who believes in an ideal, confronts the facts of the external world negating it. Halpern repeats this story both on a large scale—in the five sections of *In New York*—and on a small scale—in the discrete poems within each section. By telling this story again and again through a variety of speakers and characters in the poems, Halpern accumulates, but he also structures, a jagged, episodic narrative.[3]

Halpern groups the ninety-five poems of *In New York* in five sections: *Our Garden, In a Foreign World, Blond and Blue, Evening,* and *A Night.* A single, all-encompassing day of days moves from sunrise in the opening poem, "Our Garden," through evening in the fourth section, through a night and the dawning of a new day in the last poem of the book. In the course of this long day, the seasonal cycles revolve from the urban spring of "The First Spring Day," through the summer at the sea in "Memento Mori" to the dead of winter in "A Night XX," to the ultimate rejuvenation in "A Night XXIV." The setting of this day is New York City, but Halpern pays little attention to landmarks or local color. Rather, he depicts the city as a symbolic place within which the narrator sardonically contemplates and remembers, futilely hopes and dreams.

His Yiddish was simple, idiomatic, and coherent, and, in his first book, Halpern wrote in traditional verse forms. Yet, Halpern was a modernist writer. He made the familiar forms new: the didactic political poem becomes an ironic criticism of political ideology; the spring song celebrates the city's polluted air; the love poem reveals that the beloved does not exist outside the lover's imagination. The expected political and romantic sentiments are skewed by an irony born from the paradox of homesickness for a Europe that was never home, with the irony of a

2. Hugh Kenner, "The Sacred Book of the Arts," in *Yeats: A Collection of Critical Essays,* ed. John Unterecker (Englewood Cliffs, N.J.: Prentice-Hall, 1963), p. 13.
3. That *In New York* is a coherent whole was first pointed out by Seth Wolitz in "Structuring the World View in Halpern's *In New York,*" *MJS Annual-Yiddish* 3 (1977): 56–67.

grotesque imagination that causes a pogrom victim to dangle in a New York tenement and conjures up a demonic "little man" and his magic tricks from a burning floor.

III

With the first person plural possessive, *unzer* (our), in the first section, *Our Garden,* Halpern draws together the implied author of the book, the narrator of the title poem, and the reader into the same barren setting, a disappointing Garden of Eden in the midst of New York City. In this garden, the single tree, watchman, and bird are lesser versions of what everyone seems to have expected. As the poem develops, though, the narrator asserts that he and his audience must accept this diminished and inadequate reality: "Sure, it's our garden. What else?"

Halpern's narrator is sometimes a poet critical of his art. In "The First Spring Day," the narration shifts from observations of urban springtime, the blooming of "our garden," to the inner workings of the poet's mind. Through the dreamy-eyed poet who appears at the end, this poem draws upon and rejects the Yiddish version of the genre of the spring song, which idealized the season.

In other poems of *Our Garden,* the narrator mocks the immigrant's and worker's dreams of redemption. "Watch Your Step!" and "In the Golden Land" are poems in which idealized America fails the immigrant. Poems such as "The Show Goes On," "Tuesday," and "From My Visions" comment ironically on the oppression of workers and the futility of their hopes for rescue by political action. The narrator's tone is ironic because he sees their world as one in which a money-god directs the drama of exploitation, in which Marx's picture, covered with spiderwebs, witnesses the demise of working girls' illusions, in which God in heaven turns away from a naked babe.

However, the narrator reserves some empathy for the dreamer. In "It Shall Come to Pass," he offers the seamstress a strange kind of hope in a cataclysmic vision reminiscent of Micah and Isaiah. Here, Isaiah's image of old enemies, calves and lions, dwelling together peacefully, is reversed, as the weak become strong and avenge themselves violently on their oppressors. Halpern's messiah is not the beatific "shoot from the stump of Jesse" (Isaiah 11:1), but the girl's *getrayer,* her beloved, who will carry her off in a dramatic escape. And, in the four-part narrative poem, "Pan Jablowski," Halpern depicts the gentile dreamer who has lost his dream in the New World. This poem tells the story of a fallen Polish nobleman carrying garbage out of a New York café which is owned by a Jew. Ironically, empathetically, the narrator contrasts Pan Jablowski's memories of his former glory and moral errors with the ignominy of his present servitude.

The dilemma of the Jewish immigrant dominates the second section, *In a Foreign World,* where Halpern portrays nostalgic longing for the Old World. When actually evoked, however, these memories prove to be as desolate as that very New World misery the immigrants are trying to transcend. The immigrants *in der fremd,* in a foreign world, transport themselves through dreams back across the ocean to seek a home in memories. Unlike the Polish nobleman, Pan Jablowski, who had a glorious past, the Jewish characters of *In a Foreign World* dream their way into yet another state of ignominy. Halpern's poems in this section reveal that the comfort in longing for home is illusory to the transplanted eastern European Jew.

The ten-part narrative poem, "In a Foreign World," tells the story of an immigrant who through dreams attempts to escape both the Old and New Worlds, between which he is journeying. In the course of the poem, the immigrant's imagination transforms his sweetheart, left behind in the Old World (I and II), into a maternal savior who will rescue him from the New World he is approaching (X). On board the ship, he reflects upon his spiritually and economically impoverished boyhood. In these meditations (III and IV), the speaker, compressing past, present, and future, loses his anchor in time, as his imagination fails to improve his current misery. Actual life seems illusory to him—"a play of dreams and wind"—while dreams and aspirations leave him as isolated as "the baby in the cradle and the graveyard stone" (IV).

The speaker's memories reveal that this isolation is peculiar to the Jew in a Christian world. In part V, the Jewish boy personifies the Christianity of his schoolmates as a terrifying Jesus. Later, the speaker understands the idea of Jesus differently (V, 37–40), until, finally (V, 61–68), he imagines that he himself is Jesus—a victim of persecution, not the savior of mankind. The Jewish narrator, who at first fears and despises, eventually absorbs the symbolism of his gentile surroundings. However, even this digestion and transformation of the hostile world do not change the course Halpern sees decreed for Jewish life. The Jews and this particular Jew will ever be homeless, restless, and victimized:

> Ever-restless, I will see my fathers in shrouds,
> Because the fear of sword-sounds is rooted in me,
> Because deep within me lies a proud spirit, forsaken and disgraced.
> (VI, 16–18)

All "hope will disperse like smoke" (VI, 23), and the Jew's vitality will turn on itself "Like starved mice gnawing stale bread" (VI, 32).

The limits of hope are revealed in the somewhat idealized "history" of the Jews in eastern Europe (VII). In this history, the speaker attributes the dissolution of the traditional, peaceful Jewish community to "the new light" of Haskalah. The resulting "vile dispute . . . between the generations" and an active renewal of pogroms, motivated by "the age-old hatred of the Jews," drove the Jews across the sea. The only dream left is that of the aging mother in the Old Country, "who drifts like a cloud of smoke on a gray day" and prays for a miracle, "to see her children once more before she dies."

On board the ship, the immigrant confronts the actual city of the New World, looming on the horizon like a midrashic Gehenna with five different kinds of fire (VIII), a city where "need screams on, engulfing millions in a moment," where "the suffering never stops" (IX, 24; 33). Finally, in part X, the speaker, like the old mother, tries to escape the inevitable literally by falling asleep and dreaming his salvation. The reader is left wondering about the effectiveness of such an apocalyptic sleep.

In a subsequent poem, "Leyb-Bear," Halpern makes clear the shortcomings of such hopes and nostalgia. The narrator presents us with Leyb-Bear, whose name means "lion-bear" and echoes "Moyshe-Leyb." He lives in New York, where he shudders as he recalls in detail his miserable childhood in a *shtetl.* In the end, his memory of the familiar past, terrible as it was, evokes in him an unbearable feeling of homesickness. The experimental narrative, "Portrait: My Grandfather," more effectively develops the theme; an immigrant, haunted by the old-world values he has left, confronts and relinquishes them. A dream in which the grandfather materializes before the speaker's bed becomes the occasion for this relinquishment. In the surreal logic of the dream, the speaker has difficulty distinguishing between the quotidian and the miraculous. He fears that the grandfather will chastise him for leaving the traditional ways. Instead, however, the grandfather metamorphizes from a walking corpse into his former self, and the speaker becomes a boy in the Old Country again. Later, the speaker seeks a resolution to his guilt: he vows to return home and follow the grandfather's customs of prayer, business, and charity. However, instead of finding peace for himself and his dead grandfather, he has a macabre vision. When he arises at midnight to pray, as he has vowed to do, he witnesses an apparition of seven female corpses dancing, crowing as if to announce the Messiah, and then disappearing. The dreamer's ambivalence toward the past and home remains unresolved: the dead will rise again and again in the New York alcove.

In the third section of the book, *Blond and Blue,* Halpern's narrator falls in and out of love. The poems of this section develop an episodic story of amorous disillusionment. The "story" itself plays a role in this narrative; in the act of telling tales, the lover finds both cause of and comfort for his disconsolate solitude. The title, *Blond and Blue,* evokes a girl's coloring and the scene of sea and beach that serves as a setting for many of the poems.

What strikes the reader of this large central section is the diversity of dramatic situations, speakers, and poetic forms that Halpern rallies to show disillusionment with love. First, the speaker introduces the paradoxically painful nature of love in "Just Try and Get Rid of Them." Then he parodies dreams, delusions, and prophetic visions in "A Good Dream," "Buzzing," and "Memento Mori." He confronts his disillusionment with ambition and ideals in the allegory of "Red Rain" and in the clever, affected literary pose of "Madame—." The six poems of "Ladushka" address the whore and the virgin—actual and idealized woman—while "Album Phrases" develops this dualism of the bright and the dark woman. In the folklike tale of the Princess Gingeli, "With Wine," the lover distances himself from his romance and explains it. The romance ends in the autumnal poems about abortion, "And You, Another's Woman" and "Autumn." Finally, the speaker, telling stories ("Tell") and a grotesque fable ("Hee-Hee"), escapes into the protective world of myth.

The fourth section, *Evening,* continues the theme of disillusionment. As the light fades on this day of days in the modern city, the narrator, now not a lover but a poet, acknowledges that his personal and national hopes have failed him. Even as he declaims his poems in Yiddish, he mourns for his people, the Jews. He realizes that in the modern world, the Jews have lost faith. Without faith, the Jewish ritual of mourning, *shiveh,* ceases to distinguish between the dead and the living. The mourner himself becomes like the corpse. Without dreams, poetry, too, becomes a meaningless ritual. The poet finds himself, in the end, alone in the dark, talking to his own imaginings.

The poems of *Evening* develop this narrative of isolation within Halpern's thematic arrangement. "Isaac Leybush Peretz" elegizes the actual death in 1915 of the central figure in the Yiddish cultural revival. "After Mourning" commemorates the mourner's own morbidity and mortality. "My Restlessness Is Like a Wolf's" questions and acknowledges that person and peoples all must die. The absurdity of human endeavor in the face of death is revealed in tales and allegories. Having realized the pointlessness of life, the poet confronts his own isolation. This isolation culminates in a poem revealing the limits of imagination and vision, "Hilda, Write to Me." The poet elaborates upon his solipsism and his utter loss of hope, and finally envisions the prophesied end of days, portraying the cataclysm in "The Event." This catastrophe brings on the end of man's faith in God and the works of humankind. In the final poems of *Evening,* the poet becomes the horseman of the apocalypse, frozen in the dynamic stasis of stone sculpture, a silenced prophet: ". . . the rider there, / Who rides and rides and goes nowhere" ("Who Is?").

Halpern's narrator suffers the profound loneliness of the modern, enlightened Jew. Not only is he a stranger in the New World, but within himself a new world has displaced the old ways that gave his father's and grandfather's lives meaning. In New York, *in der fremd, in der heym, in zikh aleyn,* away from home, at home, in himself, he is "the self always a stranger," a foreigner among his own people.

The fifth section of *In New York* is Halpern's ambitious narrative, *A Night.* Halpern first published this long poem in 1916 in the anthology he coedited with Menachem Boraisha, *East Broadway,* as a poem in twenty-one parts. Three years later he revised it extensively and republished it as the twenty-five-part conclusion to *In New York.*

Unlike the speakers of "In a Foreign World," *Blond and Blue,* and "Hilda, Write to Me," the narrator in "A Night" addresses no feminine audience. His mother and sister have been killed by pogromists (XXIII); his beloved has vanished. He finds himself alone in the expanded subjectivism of the nocturnal dream. The narrative structure of the poem merges with the structure of the dream. As a result, the individual "I" of the speaker expands symbolically into the collective "I" of the Jewish people (XIX). At the same time, the speaker divides into two parts, the dreamer and the survivor, the man and the perverse "little man," *dos mentshele.* Both the dreamer and the survivor—the idealist and the realist—are aspects of the individual Jew and of the Jewish people.

This speaker imposes an imaginary order on external experience, like the other dreamers of *In New York*. Some of these are deluded visionaries whose dreams allow them to survive: Pan Jablowski and the three seamstresses of "Tuesday" blind themselves to the barrenness of "our garden" where they live, by succumbing to their memories and hopes. Moyshe-Leyb the poet improves his reality through his poems, which change snowflakes into blossoms and a fly's buzzing into praise. However, when Moyshe-Leyb the poet tries to tell what actually does exist, "Death along the waves," he cannot make himself understood. Ironically, this dreamer is isolated by his vision of a universal truth. Even in utter isolation, yet another dreamer persists in trying to tell his vision, as when he cries out in "Hilda, Write to Me." Like these dreamers, the speaker in "A Night" comes to terms with an event—in this case, the horror of a pogrom—through the transformation of a dream. However, unlike those who change it in daydreams and poems, this speaker has fallen out of waking reality into the closed system and silence of a night dream. This dream is the nightmare of personal and collective history, from which the dreamer cannot awaken; indeed, it becomes a world in which he perishes.

The closed world of the poem corresponds to an individual's psyche shaped and formed by the collective imagination. The double dream of "A Night" is filled with collective and personal symbols: a *tsholent* pot, the golden chain of Jewish peoplehood, crosses, a crown of thorns, flags, candles, a prayer shawl, a mouse, an almsbox, a rabbi's severed head, ravens, skeletons, a peddler's sack, and the dangling corpse of the dreamer's father. These symbols are props on the dream stage, where the personal and collective selves—the dreamer and the survivor—dramatize disillusionment.

In this drama, the dreamer confronts the corruption of all hopes—Jewish, Christian, socialist, nationalist—of which he becomes the universal victim, for, he tells himself,

> The blood that runs from the cross
> Will run and run and cry in you,
> Just like a thousand years ago. (V, 14–16)

This universal victim embodies the entire Jewish people from their slavery in Egypt (XIX, 37) through the Judaic kingdoms (XIX, 96). Then he becomes an embodiment of their dreams (XIX, 110 ff.), Jesus the Messiah (XIX, 113), who is mocked (XIX, 150–70), crucified (XIX, 170–84), and misinterpreted by Christianity (XIX, 185–252). In this episode, Halpern implies that the Messiah is as powerless in the world as Moyshe-Leyb the poet.

In the course of "A Night," Halpern shows us what happens to most dreams in the world. They harden into symbols for ideologies, and man uses these symbols as weapons. National and political dreams turn into the red flags of socialism and the blue and white of Zionism:

Corpses long dead leap in,
Carrying red flags.
And, bearing blue and white flags,
Whole heaps of mice follow
From the outhouse wall. (XIII, 37–41)

Along with the black and white prayer shawl of pious Jews, these flags bury the dreamer. When messianic hopes turn into the church, men use its symbols—crosses, Bible, and prayers—against the Messiah himself (XIX, 223–38). Dreams in the material world rigidify and become weapons to hurt the dreamer. Instead of beating swords into plowshares, men sharpen the cross into a sword.

Halpern portrays the survivor-part of the self as *dos mentshele,* the little man who lives through the disaster of disillusionment:

Through fire and blood. To be saved or to burn?
Why do you lie here, tossing and turning?

Only a little man survives,
Poor and sick and finger-sized.

What does this little man do all by himself?
He plays with fire, blood and grief. (IV, 1–6)

He is an actor who parodies the dreamer and the dream, playing with destruction and tragedy:

And he imitates the ancient
Cry of women by a corpse.
And he makes his little eyes moisten
And he weeps for my loss. (XV, 5–8)

The little man spreads out the relics of old values and the remnants of a pogrom like a peddler showing his wares (VI). He puts on costumes such as an old purple cloak with soiled wings, and promises the nostalgic dreamer that "Whatever you want shall be" (X). He is what the poet would be without dreams: the absurd imitator mimicking human experience in his poetry. The little man reduces the dreamer's tragic loss of family in pogroms and wars to a joke:

> Your own brother, poor thing,
> Lost both his hands at war.
> Now he doesn't sleep at night
> Since he can't scratch himself anymore. (XV, 13–16)

In response, the dreamer loses his ability to mourn. Spit replaces tears:

> When it seems that everything's a joke
> You want to imitate it:
> Like the little man I wet
> My eyes with a drop of spit. (XV, 49–52)

Taking traditional Jewish values out of context, the little man applies the maxim, "Charity saves man from his death" (XV), not to the Jewish community, but to a hungry mouse, the last remnant of the Jews after the pogrom. Halpern reduces *der mentsh* to *dos mentshele* with the neuter pronoun and the diminutive suffix and shows how diminished is that part of the self without dreams or ideals which survives disaster.

The vision of "A Night" and of *In New York* as a whole is finally nihilistic. Eventually, the little man disappears (XX), "the morning sun rises" and the world awakens (XXIV), bringing the narrative full circle from the dawn of "Our Garden." However, though "others" will play with children, plow the fields, sing with the birds, and breathe the sound of the woods, the awakened dreamer will "lie in a strange house, / Buried alive" and silenced (XXIV). The strange house, which is not a home, lies outside the context of a coherent moral and social order. In his isolation and disillusionment, the visionary poet falls into silence.

Halpern concludes "A Night" with this silence because, in his vision, the world has turned to worshiping ideology itself, in the pagan flag rituals of "A Night II," and even to worshiping the dead, in the funeral attended by dwarfs and lords (XXIII). For Halpern, there is no God ordering the seasons "to blossom and depart" or commanding good and evil in a world which silently witnessed the pogroms in Poland and the Ukraine in the autumn of 1919.

If there is not a God, what can the poet trust? He cannot trust the aesthetics of the poem. Although they order the chaos of experience, poems can be misread by the Yiddish audience, whom the speaker criticizes in "The First Spring Day" and "Isaac Leybush Peretz," or misused by the little man who imitates and mocks life in his art. The poet cannot place his trust in the people, for they make errors in judgment, have limited vision, or simply do not listen. Even the spirit of the folk, the storytelling mother at the end of *Blond and Blue,* mocks the poet's naive folly and hope just as the midget "Hee-Hee" carries the poet's love letter to the unattainable sun. Without dreams, "Only a little man survives," a shrunken version of the poet performing a sleight-of-hand with tragedy.

We cannot take the narrator's last word to be that of Halpern himself. Halpern, after all, did not stop writing poetry, although his narrator writes himself out of history, saying, "I was never here" ("A Night XXV"). After the publication of *In New York* in the fall of 1919, Halpern married and seemed, for a while, to find new direction and some stability in his career as a writer. He took a post as a correspondent for the Communist Yiddish daily, *Di Frayhayt,* and assumed other literary tasks. In 1923 he became the father of a son, Isaac. He continued to write prolifically, and from these writings compiled a marvelous second book of poems, *Di Goldene Pave* (The Golden Peacock), published in 1924. (This book and *In New York* were the only two volumes he published in his lifetime.)[4] From 1927–29 he lived in Los Angeles with his family. They then returned to New York and took up residence in the Bronx. Here Halpern began drawing portraits of himself and his family and decorating wooden bowls, clothing, and furniture. He also contributed briefly to the Yiddish paper *Di Vokh,* founded by writers who had left *Di Frayhayt.* But his time was drawing short. On August 31, 1932, Moyshe-Leyb Halpern died of a heart attack in a Brooklyn hospital. He was forty-six years old.

IV

Translations of Halpern's poems have so far appeared in English only in journals and anthologies. Anthologies serve the purpose of introducing

4. Two posthumous volumes, edited by Eliezer Greenberg, gathered uncollected works: *Moyshe-Leyb Halpern,* 2 vol. (New York: Moyshe-Leyb Halpern Comitet, 1934). Other poems remain "lost" in journals of the period and even among Halpern's manuscripts in the YIVO Archives.

readers to a broad sampling of literature, within a historical, thematic, or generic context determined by an editor. Anthologies do not, however, allow the reader to see each piece in the context of its author's opus or intent. Although a good poem should stand on its own, independent of its context, an editor's selection can change its meaning and effect. Translating, moreover, involves a kind of editing and criticism. In order to make the poems readable for a contemporary American audience, to renew them, I have, in many cases, abbreviated or compressed the metrical and stanzaic forms of Halpern's long and sometimes monotonous hexameters and heptameters and his endlessly rhymed couplets (in the meditations of "In a Foreign World," for example). Instead of harnessing my translations to Halpern's form, I have tried to maintain the architecture, the integrity of the poems' overall and line-by-line structures, that is, the order in which Halpern developed his images and ideas. In this ordering lies what can be translated, carried into a second language and culture.

The major focus of my endeavor has been to approximate Halpern's voice and tone in English. This is the most important and difficult task of the translator, because the voice, both personal and communal, is what raises the words from the page into the reader's imagination and memory. The poet builds this voice, the tone that engages or alienates, from the nuances of diction, phrasing, idiom, which he or she has carefully (if sometimes unconsciously) selected on the basis of an intimate knowledge of a language, its culture, and its people.

Every language has idiomatic phrases that cannot be translated. Rendered literally, they are meaningless out of the context of the original tone and situation. The "equivalent," found in the second language, often carries other, irrelevant connotations or figures. For instance, in Halpern's "Gingeli," we find this phrase, "der takhshit Moyshe Leyb." *Takhshit* is the Hebraic word for "jewel," which in Yiddish, and now in modern Hebrew, is used colloquially and jocularly to refer to a scoundrel. When confronted with a word like *takhshit,* the translator must choose between setting down the idiom's literal meaning, or interpreting it with an English idiom. This decision depends on the word, the context, and the translator's intent. My intent throughout *In New York* has been to bring the poems as completely into idiomatic English as I can, sometimes sacrificing the flavor of the original phrase for the outlines of the story the language conveys. In the case of *takhshit,* though, I made an exception and translated the line as "He is that jewel Moyshe-Leyb," rather than "He is the scoundrel" or "rascal" or "bum" or, as another translator has it, "scamp." In this kind of decision, the translator confronts the limitations and elasticity of his or her own language.

In contrast to Walter Benjamin's next-to-impossible task—for the translator to recreate the original text in a vacuum, without reference to readership, culture, or time—I have undertaken a more modest effort.[5] I have translated Halpern for a particular audience—the generation ignorant or ashamed of Yiddish language and culture, many of whom have never read a book of Yiddish poems in translation, and some of whom may not even know that modern Yiddish poetry exists. I aim for what George Steiner calls "perceptive engagement."[6] I hope that my translations will renew Halpern's poems and lead readers to sense the scope and magnitude of his vision. I do not want my translations to satisfy the reader. Instead, I hope that each English poem will send readers across the page to the Yiddish poem that confronts them with the foreign letters of its alphabet, and from that confrontation, back to the Yiddish language and its riches.

A NOTE ON THE TEXT: I have translated *In New York* from the third edition, published by Farlag Matones (New York, 1954). This volume replicates the first edition (New York: Farlag Vinkel, 1919), except that the later editors modernized and standardized Halpern's Yiddish spelling and punctuation.

5. Walter Benjamin, "The Task of the Translator: An Introduction to the Translation of Baudelaire's *Tableaux Parisiens*," in *Illuminations*, ed. Hannah Arendt, trans. Harry Zohn (New York: Harcourt Brace and World, 1968), pp. 69–82.

6. George Steiner, "Introduction," *The Penguin Book of Modern Verse Translation* (Baltimore: Penguin Books, 1966), pp. 21–35.

I אונדזער גאָרטן

1 OUR GARDEN

אונדזער גאָרטן

אַזאַ גאָרטן, וואו דער בוים
האָט זיך זיבן בלעטלעך קוים,
און עס דאַכט זיך, אַז ער טראַכט:
— ווער האָט מיך אַהער געבראַכט?
אַזאַ גאָרטן, אַזאַ גאָרטן,
וואו מיט אַ פאַרגרעסער־גלאָז
קאָן מען זען אַביסל גראָז,
זאָל דאָס אונדזער גאָרטן זיין
אַט אַזאַ אין מאָרגנשיין?
אוודאי אונדזער גאָרטן. וואָס דען, ניט אונדזער גאָרטן?

אַזאַ וועכטער, ווי אַ ווינד,
מיט אַ שטעקן ווי פאַר הינט,
וועקט ער אויף אין גראָז די לייט
און פאַרטרייבט זיי ערגעץ ווייט,
אַזאַ וועכטער, אַזאַ וועכטער,
וואָס ביים קאָלנער נעמט ער אָן
דעם וואָס האָט קיין בייז געטאָן.
זאָל דאָס אונדזער וועכטער זיין,
אַט אַזאַ אין מאָרגנשיין? —
אוודאי אונדזער וועכטער. וואָס דען, ניט אונדזער וועכטער?

אַזאַ פויגל, וואָס פאַרגעסט
זיינע קינדערלעך אין נעסט,
זוכט פאַר זיי קיין עסן ניט,
זינגט מיט זיי קיין מאָרגנליד.
אַזאַ פויגל, אַזאַ פויגל,
וואָס ער הייבט זיך גאָרנישט אויף
און ער פרואווט ניט פלי'ן אַרויף.
זאָל דאָס אונדזער פויגל זיין
אַט אַזאַ אין מאָרגנשיין? —
אוודאי אונדזער פויגל. וואָס דען, ניט אונדזער פויגל!

Our Garden

What a garden, where the tree is
Bare but for its seven leaves!
It appears to be amazed:
"Who has set me in this place?"
What a garden, what a garden—
It takes a magnifying glass
Just to see a little grass.
Can this be our garden, then,
Just as is, in the light of dawn?
Sure, it's our garden. What else?

What a watchman, brusque and quick,
Walks the garden with a stick,
Wakes the people on the lawn
And to hell he drives them on.
What a watchman, what a watchman—
Grabs a collar or an arm
Of anyone who's done no harm.
Can this be our watchman, then,
Just as is, in the light of dawn?
Sure, he's our watchman. What else?

What a bird—quick to forget
All the fledglings in its nest.
Doesn't carry food along,
Doesn't sing their morning song.
What a bird, oh, what a bird—
Doesn't lift a single wing,
Or try to fly, or anything.
Can this be our own bird, then,
Just as is, in the light of dawn?
Sure, it's our bird. What else!

צווישן קוימענרויכן

כאַפּט ער זיך פון שלאָף דער דאָרפס־יונג
הערט ער פייגל זינגען,
הער איך מילך־קענדלעך און רעדער
אין דעם זייגער קלינגען.

זעט דער דאָרפס־יונג דורכן פענצטער
באַרג און הימל בלויען,
זע איך וואַקס־פאַרגעלטע, גראָבע,
גענעצדיקע פרויען.

לויפט אַרויס אין פעלד דער דאָרפס־יונג
זומער־פייגל פאַנגען,
טרייב איך אַלטע קעץ אַרונטער
פון די גאַניק־שטאַנגען.

גיב דעם דאָרפס־יונג אַ פּאָר פליגל,
וואו ער שפּילט זיך דאָרטן,
וועט ער פליען קאַרשן עסן
אין זיין שכנס גאָרטן.

אָדער ער וועט גאָר פון הימל
ברענגען גאָלד אַ הויפן, —
וועט מיט אים די מאַמע פאָרן
שיינע זאַכן קויפן.

מיר, אַז דו וועסט פליגל געבן,
וועל איך ווי געבונדן
זיצן אין אַ שטייג פון אייזן
אין געהאַקטע וואונדן;

אָדער איך וועל זיצן אויבן
אויף אַ דאַך אַ הויכן,
קוקן אויף אַ העמד, וואָס וויגט זיך
צווישן קוימענרויכן.

Between Smoking Chimneys

The village boy wakes
To birds singing.
I hear milk cans and wheels
In the clock clanging.

From the window the boy can see
Sky and hills grow bluer;
I see wax-yellow, fat
Women yawning.

The village boy runs out to catch
Butterflies in the meadow.
I chase old cats
From fire-escape windows.

Give wings to the village boy
Playing in the yard,
He'll fly to eat cherries
In the neighbor's garden,

Or handfuls of gold
From heaven he'll bring down—
His mother will take him
Shopping in town.

Give wings to me, and I'll stay
Gagged and bound
In an iron cage,
Nursing my wounds,

Or I will perch
High on a rooftop,
And watch a shirt rock
Between smoking chimneys.

אַזוי איז אונדז באַשערט

יונגע פישער־יונגעֹן זינגען ווי דער ים דער פרייער.
יונגע קאָוואַליעס געזונטע זינגען ווי דאָס פייער.
מיר, געגליכענע צו חורבות אין אַ וויסטער געגנט
זינגען ווי די פּוסטקייט דאָרטן, ווען עס פליייצט און רעגנט.
שפּילן קינדער זיך אין גאָרטן — זינגען זיי צוזאַמען.
לעבט אין דעם געזאַנג די ליבע פון אַ גוטער מאַמען.
אונדז האָט -- דאַכט זיך אויס — קיין מאַמע קיינמאָל ניט געבוירן.
זינגענדיק האָט דאָס שלימזל אונדז אין וועג פאַרלוירן.
זינגען מיר שלימזלדיקע גלאַט־אַזוי־געזאַנגען.
אפשר ווי פּאָפּוגעס ערגעץ אויף די שטייגן־שטאַנגען.
אפשר ווי פאַרנאַכט די זשאַבעס צווישן זומפּ און גראָזן,
אָדער גאָר ווי וועש אין דרויסן, ווען די ווינטן בלאָזן;
אָדער אפשר ווי סטראַשידלעס, וואָס מען האָט פאַרגעסן
אויפן פעלד, ווען ס'האָט דער האַרבסט שוין אַלצדינג אויפגעפרעסן.

דער ערשטער פרילינג־טאָג

מיר גייען ווי טענצער לייכט אויף גלאַטן האַרטן שטיין,
מיר גייען מיליאָנענווייז, און איטלעכער אַליין,
און אונדזער גרויסע זון שיינט בלאַנק, ווי גאָלד און ברענט
אין פענצטער־גלאָז פון זיבנגאָרנדיקע ווענט,
אויף גאַניקעס, אויף קאַלדערעס און טעפּ,
און אויף די ווינדלען אויך, וואָס הענגען אויף די טרעפּ
און פלאַטערן ווי פאָנען שטאָלץ אין פרילינגס־ווינט.
און ביי אַ פענצטער אויפן ערשטן שטאָק אַ מוטער,
נאַקעט נאָך כמעט — און אויפן שויס אַ קינד
וואָס האַלט אין ביידע הענטלעך ברויט מיט פּוטער
און ציט זיך מיט די ליפּלעך צו דער מוטערס מויל,
וואָס עפנט זיך און שיקט — אַ גענעץ לאַנג און פויל —
אַן ערשטן פרילינג־גרוס אין גאַס אַרויס.

That's Our Lot

Young fisherboys sing like the boundless sea.
Healthy young blacksmiths sing hot as the fire.
But we, like the ruins in abandoned neighborhoods,
Sing like the emptiness there when rain pours.
Children playing in the park sing together.
In their song lives a good mother's love.
But we, it seems, were not of mothers born.
Misfortune, singing, dropped us in the road.
We sing unlucky songs for no good reason.
Perhaps like parrots swinging inside cages,
Like frogs at dusk between the swamp and grasses,
Like laundry outdoors when the winds are blowing;
Or, perhaps, like scarecrows, now forgotten
In fields where fall has preyed on everything.

The First Spring Day

Like dancers lightly over slick hard stone
We walk in millions—each alone.
Our huge sun shines brilliant as gold, and burns
In windowpanes on seven-story walls,
On balconies, on blankets, and on pots,
And on the diapers hanging over steps,
Fluttering proud as flags in spring wind.
At a first-floor window a mother sits
Almost naked—on her lap, a child,
His two hands clutching buttered bread;
He reaches with his lips for his mother's mouth,
Which opens, letting out a long, lazy yawn
Into the street, a first spring-welcoming.

דערנאָך — דו קוקסט זיך אום און ס'נעמט אַ רגע בלויז,
און רווישנדיק פון ווייטן ווי אַ וואַסער-מיל,
און מיט אַ שויב פון פאָרנט קומט אָן אויטאָמאָביל —
און יאָגט זיך דורכן גאַס און רעוועט ווילד און הויך,
און יאָגט פאַרביי און לאָזט נאָך זיך אַ וואָלקן רויך,
וואָס מישט זיך אויס מיט זון און שטויב און ציט זיך לאַנג
און שימערירט אין רעגנבויגן-פאַרבן,
און שענקט זיין גאַזאָלין-גערוך מיט גרויס גענאַד
צו אונדז, די לייט וואָס וואוינען אין דער גרויסער שטאָט,
און זענען (ווי דאָקטוירים זאָגן) לונגענקראַנק.
און דאַרפן ריינע לופט פאַמעלעכער צו שטאַרבן.
דערווייל שטייט אָנגעשפּאַרט ביים ראָג פון גאַס,
די הענט אין קעשענע, און ווי אַ האַרבסט-טאָג בלאַס,
אַ דאַרער יונגערמאַן מיט טרוימער-אויגן צוויי
און טראַכט אַ פרילינג-ליד פון ליבע און פון וויי,
און שטילערהייט אין האַרץ ביי זיך באַשטימט ער שוין
צו גיין און איינצוהאַנדלען פאַר זיין שאַפונגס-לוין
אַ העמד, אַ נייעם ראָק און ברוינע שיך אַ פּאָר,
און ביים באַרבירער קירצן זיך די לאַנגע האָר
און אויף אַ קאַווע ווערט דאָך אויך נאָך בלייבן
און ווערט דאָס ניט —
נו, ווערט ער שוין, במחילה, מוזן שרייבן
נאָך אַ פרילינג-ליד
פאַר אונדזער וואונדערלעכער וועלט,
וואָס גאַרט אַזוי צו הערן פון אַ בלום וואָס בליט
און פון אַ געלן פייגעלע וואָס טרעלט און טרעלט
און טרעלט נאָך אַביסל.

Afterward, you look around: in a moment
Noisily, from far off, like a water mill
With a windowpane in front, an automobile
Rushes through the street, roaring wild and loud,
Rushes by, leaving a smoking cloud
That mingles with sun and dust and stretches far,
And shimmers with all rainbow colors,
And graciously bestows its gasoline-
Odor on us, big-city dwellers,
Who are (the doctors say) tubercular
And, to die more slowly, need pure air.
Meanwhile, slouching at the corner, there,
Hands in his pockets, pale as an autumn day,
A young man, skinny, with a dreamer's eyes,
Composes his spring song of love and pain;
In his heart he quietly determines
To buy, with what he earns for such a creation,
A shirt, a suit-coat, and some new brown shoes.
Then he'll cut his long hair at a barber's,
And, surely, some change will remain for coffee,
And if not—
So sorry—he will need to write
One more spring song
For this our marvelous world
Craving to hear about a flower blooming,
And about a yellow bird that trills and trills
And trills a little more.

גאָט-העלף, ליבע זון!

זינגט די גאַס איר מיטאָג-ליד,
ברענט די זון, ווי זשאַר, און גליט,
שטייט אַ מענטשל דאַר און בלאַס
ביי אַ וועגל אויפן גאַס.
גייען לייט אַרויף, אַראָפּ,
שטרעקט דאָס מענטשל אויס דעם קאָפּ
און עס הייבט צו רופן אָן
מיט אַ קול ווי פון אַ האָן.
קומען לייט פון אומעטום
און זיי שטעלן זיך אַרום.
שטרעקט מען קעפּ און העלדזער אויס,
קוקן אויגן נאַריש גרויס.
הייבט דאָס מענטשל עפּעס אויף,
האַלט עס איבער זיך אַרויף.
הייבט אָן ווערן אַ געדרענג,
ווערט דעם מענטשל היים און ענג.
ווערט דעם מענטשל ענג און היים,
ווישט עס אָפּ פון זיך דעם שווייס,
וואַרפט דאָס היטל פונעם קאָפּ,
ציט דאָס אויבערהעמד אַראָפּ,
שטרעקט עס נאַקעטע די הענט
אין דער לופט אַריין, וואָס ברענט.
רוישט די גאַס פון נאָנט און ווייט,
הערט ניט קיינער, וואָס סע שרייט,
נעמען אַלע זיך צעגיין
און זיי לאָזן אים אַליין.
זעט דאָס מענטשל דאַר און בלאַס
זיך אַליין אין מיטן גאַס,
הייבט עס העכער אויף דאָס קול
נאָך און נאָך און נאָכאַמאָל.
לאָזט זיך גאַרנישט אויס דערפון,
ווייסט עס מער ניט וואָס צו טאָן,
לאָזט עס הענט און אַקסל אָפּ
און עס לאָזט אַראָפּ דעם קאָפּ.
און עס שנירט זיך אויף די שיך,
און עס ווישט דעם שווייס פון זיך,

Good-day, Dear Sun!

The street sings its song-of-noon,
The sun glows like gleaming coal,
By his pushcart a man stands,
A little man, pale and skinny.
People hurry, push ahead,
The little man extends his head
And starts to crow like a cock.
People gather around him, gawk
With bulging eyes, stick their necks out,
And wonder what it's all about.
The little man picks something out
And holds it up. A rush begins.
The crowd moves back; the crowd moves in.
The little man, pale and skinny,
Grows hot and crowded, crowded and hot.
He takes his hand and wipes off sweat;
He tosses from his head his hat
And pulls his shirt off, stretches out
His bare arms in the burning air.
The street is roaring far and near.
What he shouts cannot be heard.
All the people in the crowd
Walk away. He's left alone.
The little man, skinny and pale,
Raises his voice in a higher wail
Once again and yet again,
Shouting alone. Nothing happens.
The little man doesn't know
If anything is left to do,
So he lets his shoulders droop,
Hangs his head, unties one shoe,
And, wiping sweat away, he lights

און עס נעמט אַ פּאַפּיראָס
און עס גיט אַ צי, אַ בלאָז,
און מיט אויגלעך צו דער הויך
קוקט עס, ווי עס גייט דער רויך.

דאָס אייביקע שפּיל

און אַזוי, פּאַר ברויט מיט רינדפלייש גיט מען אָפּ די טעג פון לעבן,
דאַכט זיך איינעם, אַז ר'איז מיד שוין, ווייל ער האָט צופיל געגעבן, —
פאַלן אָן אויף אים, ווי ראָבן, זיינע אייגענע געדאַנקען,
טוט ער זיך אַ בויג נאָך טיפער צום מאַשין־ראָד צו דעם בלאַנקען.
זאָל ער מיט די אייגנע נעגל זיך אַליין די הענט צערייסן?
(ווער עס איז צום טויט פאַראורטיילט, פּרואווט די גראַטעס צו צעבייסן.)
אָבער רולאָז, ווי עס דרייט זיך אַ פאַרכישופט־ווילדער וויכער,
דרייט די טרייב־קראַפט זיין מאַשין־ראָד טויזנט־פערדיק שטאַרק און זיכער.
און אַזוי גייט אָן דאָס שוישפּיל אין דעם לעבנס־קאַמף דעם שווערן:
איינעם שטאַרק צו מאַכן, מוזן טויזנט שוואַכע שוואַכער ווערן.
און אַזוי גייט אָן דאָס שוישפּיל זינט די וועלט האָט טעג און יאָרן.
פינצטערער איז בלויז די בינע אין דער גרויסער שטאָט געוואָרן.
אָן עלעקטערישער גלי־לאָמפּ אימיטירט די זון פון הימל
און פון פרי ביז אָוונט שפּילט מען צווישן ווענט פון שטויב און שימל
און דער לאָזשן־גאַסט, דער געלט־גאָט, לאָזט זיך ניט דעם שפּיל פאַרדאַרבן,
ווער עס שפּילט די העלדן־ראָלע, דער מוז אויף דער בינע שטאַרבן.
זינגער זינגען אויף דער בינע, ביז עס ווערט דאָס האַרץ צעריסן.
פּראָסטע שפּילער און סטאַטיסטן שטאַרבן הינטער די קוליסן.

A cigarette, drags on it, blows,
And gazes up where the smoke goes.

The Show Goes On

Days surrendered for meat and bread:
Like ravens, his own thoughts attack
The man who gave too much.
He bows deeper to the glittering machine.
Will he tear his hands with his own nails?
(A condemned man will try to gnaw through his prison bars.)
But, restless as a whirlwind possessed,
Force turns the wheel with a thousand horses' power.
And so the show goes on:
For one man's strength, a thousand weak men weaken.

The show goes on:
In the great city, the stage darkens.
An electric light imitates the sun,
And, from morning to night,
Between moldy walls, they perform.
The money-god in his box directs the play
To be what he expects.
The hero must die on stage.
The chorus sings to break hearts
And common actors and bit parts
Perish in the wings.

דינסטיק

שטייט אין מיטן שטוב אַ טישל,
ליגן האַלב־געמאַכטע קליידלעך
אויפֿן טישל;
ליגן שפּילקעס, האָר און קעמל־ציינדלעך
אויסגעמישט מיט מאָדע־בלעטער,
אויסגעמישט מיט הערינג־ביינדלעך,
אויפֿן טישל.
אויף דער וואַנט הענגט מאַרקס,
לעבן אים אַן אַלטע באַבע —
אויפֿן קאָפּ אַ שטערן־טיכל.
הענגען ביידע איינגעהילט אין שפּינגעוועבן.
און די מיידלעך —
דאָ און דאָרט ביי די מאַשינען.
כאַטש גיי רופֿן אַ מכשף
ער זאָל אויסלייגן אין קאָרטן, —
צי פֿאַר יענער דאָרט אין ווינקל
איז דער טיילאָר דזשייק אַ זיווג
פֿונעם הימל.
און פֿאַר יענער, איר אַנטקעגן,
צי דער גרויסער פּרינץ פֿון יאַמאַ —
וואָס זי טרוימט פֿון אים — וועט קומען
און פֿאַר דער, וואָס טרוימט שוין גאָרנישט,
צי זי וועט אַזוי שוין טאַקע
אין איר געל־געבלימטן קליידל
ביז אין גראָען צאָפּ פּאַרזיצן
איינגעקאָרטשעטביים געניי — — — —

Tuesday

In the middle of the room
Stands a little table;
Half-finished dresses lie
On the little table;
Pins, hair, and comb-teeth lie
Jumbled with fashion pages,
Jumbled with herring bones,
On the little table.
Marx hangs on the wall,
Near him an old grandmother
Wearing a headkerchief.
Both are wrapped in spiderwebs.
And the girls—by their machines.
Go on, call in a fortune-teller
To read in his cards
If Tailor Jake is heaven's choice
For this one in the corner,
And if the prince from Neverland
Will come to that one, always dreaming,
And if she who dreams no longer,
Always clothed in yellow flowers,
Will sit there, her bright braid graying,
Hunched forever over sewing.

גאָלד איז די צייט אין דעם גאָלדענעם לאַנד.
גיט מען אַ קלונג און אַ הויב מיט אַ האַנט,
קלאַפּן זיך טירן צו הילכיק און שנעל,
פליט דער עקספּרעס דורכן שוואַרצן טונעל
שנעלער פון ווינט און געשווינדער פון בליק.
פליען פאַרביי מיט דער וואַנט אויף צוריק
שטערן נאָך שטערן אין גרין און אין רויט —
גרין איז דאָס לעבן און רויט איז דער טויט.
לאָזט אַ סיגנאַל זיך פאַראויס אין געיעג,
וואַרפט ער און שליידערט ער אַלץ אויסן וועג.
רודערן רעדער אין ווילדן געלויף,
טראָגן זיך באַנען אַראָפּ און אַרויף,
טראָגן זיך פייגל פון גאָלד און פון גלוט, —
צינדט זיך מיר אָן אַ באַגער אין מיין בלוט
הייסער פון גלוט און נאָך העלער פון גאָלד.
היי! — ווי עס וואָלט זיך אַ כאַפּ טאָן געוואָלט
אָט־אַזאַ פויגל! — האַ־האַ, סאַראַ פּראַכט!
יאָגט ער פאַרביי, ווי אַ בליץ אין דער נאַכט.
יאָגן און טראָגן זיך פייגל און פלי’ן
ליכטיק, ווי בליצן, אַהער און אַהין.
ליכטיק, ווי בליצן פאַרביי נאָכאַנאַנד —
גאָלדענע פייגל פון גאָלדענעם לאַנד.

Watch Your Step!

Time is gold in the Golden Land.
The ring of a bell and the wave of a hand,
And doors snap shut. Express trains fly
Through black tunnels, quick as the eye.
Walls fly backward, like a screen
With stars after stars in red and in green—
Life is green, and death is red.
Once a signal is sent out ahead
It hurtles everything out of its way,
Wheels whirl in a wild melée,
Trains swing up, swing down, swing fast,
Birds of gold and greed zip past,
And a desire fires up my blood,
Hotter than greed and brighter than gold.
Oh! If only I could grab in my hand
Such a bird! How magnificent!
Like lightning flashing in the night
Birds race and dart and soar in flight.
Brilliant as lightning, flash and descend—
Golden birds in the Golden Land.

אין גאָלדענעם לאַנד

— צי דען וואָלסטו, מאַמע, מיר גלויבן געוואָלט,
אַז אַלצדינג ביי אונדז ווערט פאַרוואַנדלט אין גאָלד,
אַז גאָלד ווערט פון בלוט און פון אייזן געמאַכט,
פון בלוט און פון אייזן ביי טאָג און ביי נאַכט?

— מיין זון, פאַר אַ מאַמען באַהאַלט מען זיך ניט,
אַ מאַמע דערקאַנט און אַ מאַמע פילט מיט.
מיר דאַכט זיך, אַז דו האָסט קיין ברויט צו דער זאַט
אויך דאָרט אין דעם גאָלדענעם לאַנד ניט געהאַט.

— אוי מאַמע, מיין מאַמע, צי פאַלט עס דיר איין,
אַז ברויט ביי אונדז וואַרפט מען אין וואַסער אַריין
דערפאַר, ווייל עס גיט אונדז אַזוי פיל די ערד,
אַז ס׳הויבט אָן פאַרלירן דעם גאָלדענעם ווערט?

— איך ווייס ניט, מיין זון, נאָר עס ווייַנט מיר מיין האַרץ —
דיין פּנים זעט אויס ווי די נאַכט אַזוי שוואַרץ
און שלעפערדיק פאַלן די אויגן דיר צו,
אַזוי ווי ביי איינעם וואָס חלשט נאָך רו.

— אוי מאַמע, מיין מאַמע, דו האָסט דאָך געהערט
פון באַנען, וואָס יאָגן זיך אונטער דער ערד,
פאַרטאָג שלעפט די באַן פון געלעגער אַרויס
און שפּעט אויף דער נאַכט ברענגט זי ווידער אין הויז.

— איך ווייס ניט, מיין זון, אָבער טיף איז מיין וואונד.
איך האָב דיך אַוועקגעשיקט יונג און געזונט —
מיר דאַכט זיך, אַט נעכטן ערשט איז עס געווען.
און היינט מוז איך ווידער אַזוי־אַ דיך זען.

— וואָס צאַפּסטו מיר, מאַמע, פון האַרצן דאָס בלוט?
צי פילסטו דען גאָרנישט ווי וויי דאָס מיר טוט?
וואָס ווייַנסטו, מיין מאַמע, צי זעסטו דען אויך,
ווי איך אַזאַ וואַנט אַזוי פינצטער און הויך?

In the Golden Land

—Mama, why, oh, why do you hold
That everything here is changed into gold,
That gold is made from iron and blood,
Night and day, from iron and blood?

—My son, you cannot hide from a mother—
Mama finds out, mama feels, with a shudder:
You don't have enough meat or bread—
In the Golden Land you aren't properly fed.

—Mama, does it come into your head,
That people here throw away bread?
That on an overgenerous earth,
Things may lose their golden worth?

—I don't know, son, but my heart cries—
From here your face looks dark as the night
And your eyelids fall shut drowsily
Like the eyes of a man dying for sleep.

—Mama, surely you have heard
Of trains, that, racing under the earth,
Drag us from bed at the break of dawn
And late at night bring us home again.

—Son, I don't know. It hurts deep and high.
Just yesterday when we said good-bye
You were healthy, young, and strong—
I need to see now that nothing's wrong.

—Mama, why do you suck my blood?
You're hurting me, and it does no good.
Why are you crying? Do you see at all
What I envision—a high dark wall?

— ווי זאָל איך ניט וויינען, מיין זון, איבער דיר?
פאַרגעסן אָן גאָט און פאַרגעסן אָן מיר.
איצט איז דיר דאָס אייגענע לעבן א וואַנט,
וואָס שטייט דיר אין וועג אין דעם גאָלדענעם לאַנד.

— גערעכט ביסטו, מאַמע. מיר זיינען צעשיידט.
א גאָלדענע קייט... און אָן אייזערנע קייט..
א גאָלדענער שטול — אין הימל פאַר דיר,
אין גאָלדענעם לאַנד — א תליה פאַר מיר.

עס וועט זיין

מיט די הענט און מיט די אויגן,
פון דער פרי ביז שפּעט אין אָוונט,
צום געניי אַראָפּגעבויגן.

וויין ניט, מיידל. היינט צי מאָרגן — — —
עס וועט זיין. ווי מיז פאַרסמטע
וועלן פגרן די זאָרגן.

הוי, ווען יענער טאָג וועט קומען!
מענטשן, צווישן שטיין און אייזן,
וועלן ווי די בערן ברומען.

זקנים, ווייבער, וויגנקינדער
וועלן זיך דורך די גאַסן יאָגן:
רויבער האָרדעס! אונטערצינדער!

הוי, מיין מיידל, — סאַראַ פייער!
ווי אויף פליגל פון א פויגל
וועט דיך טראָגן דיין געטרייער.

—Why shouldn't I cry over you, my son?
God and mother both forgotten!
Now your own life is a wall that stands
Blocking your way in the Golden Land.

—Mama, you're right. We are far and gone.
A golden chain . . . and an iron chain . . .
For you, in heaven, a golden throne,
A gallows for me in the Golden Land.

It Shall Come to Pass

Dawn to dusk, your hands and eyes
Bent over sewing—girl, don't cry.

Tomorrow it shall come to pass:
Your worries will die like poisoned mice.

On that day, in iron and stone,
Men will roar like bears, while women,

Old men, and babies at the breast
Chase down robbers and arsonists.

My girl—what a fire! Your beloved is coming
To carry you off, on bird wings.

דער גאַסנפּויקער

זינגט דער פויגל פריי און פריילעך,
ציטערט אויף זיין טראָן דער מלך,
ציטערן איז ניט כדאי,
זינג איך, ווי דער פויגל, פריי,
און געשווינד,
ווי דער ווינט,
טאַנץ איך הפקר, טאַנץ איך בלינד,
גאַס אריין און גאַס ארוים! —
בין איך קראַנק און אַלט און גראָ,
ווּעמען אַרט עס — האַ־האַ־האַ!
פאַר אַ קופּער־גראָשן בלויז
פויק איך, אַז די פויק זאָל פּלאַצן,
און איך דזשינדזשע אין די טאַצן,
און איך דריי זיך רונד אַרום —
דזשין, דזשין, בום־בום־בום.
דזשין דזשין בום!

קומט אַ מיידל אַ מכשפה,
צינדט זיך אָן אין מיר אַ שרפה,
נעם איך זיך נאָך ווילדער דרייען,
און איך פּרעס צונויף די ציין,
און איך ברום:
— מיידל קום,
גיב די הענט, און נעם אַרום,
הייסער טאַנצט זיך עס צו צוויי.
ס'האָט אַזאַ ווי דו אַ שלאַנג,
מיך פאַרלאָזן ערשט ניט לאַנג.
קרענקט דאָס האַרץ און פּלאַצט פאַר וויי —
פויק איך אַז די פויק זאָל פּלאַצן,
און איך דזשינדזשע אין די טאַנצן,
און איך דריי זיך רונד אַרום —
דזשין, דזשין, בום־בום־בום.
דזשין דזשין בום!

לאָכן קינדער לוסטיק, מונטער,
פאַל איך ניט ביי זיך אַרונטער,
רירט זיך יונגען! פלינקער — האָפּ!

The Street Drummer

Free and happy, the bird sings.
Trembling on their thrones sit kings.
I don't think it's wise to tremble.
I sing like a bird, and nimble
As the wind,
I dance blindly and I spin

Through the streets. I'm sick, old, gray,
Who cares?
For a copper penny
I will play—
Drum until the drum explodes!
Beat upon the cymbals!
Round and round I whirl and spin.
Jin, jin, boom-boom-boom.
Boom boom jin!

A girl walks by—a sorceress—
Sparks a hot blaze in my chest.
I spin wildly, gnash my teeth,
Roar, "Come, girlie, let this man
Take your hand! Two can
Dance a hotter dance than one!"
My heart sickens, bursts with pain—
"Just recently
A snake like you abandoned me."
I will play—
Drum until the drum explodes!
Beat upon the cymbals!
Round and round I whirl and spin.
Jin, jin, boom-boom-boom.
Boom boom jin!

Kids in streets laugh and tease—
Nonetheless, I feel at ease.
Get a move on, youngsters, jump!

נאָכאַמאָל אַ זעץ אין קאָפּ.
נאָך אַ שפּיי!
סיי ווי סיי
מיטן שפּרונג גייט אַלץ פאַרביי.
צוגעוואוינט צו אַלדאָסביין,
קנייפּ איך אַ שטיק ברויט פון טאַש.
און איך זשליאָקע פון דער פלאַש.
ברענט דאָס בלוט, און רינט דער שווייס —
פּויק איך אַז די פּויק זאָל פּלאַצן,
און איך דזשינדזשע אין די טאַצן,
און איך דריי זיך רונד־אַרום,
דזשין, דזשין, בום־בום־בום.
דזשין דזשין בום!

אַט־אַזוי זיך דורכגעריסן,
דורכגעריסן, דורכגעביסן
מיטן קאָפּ ווי דורך אַ וואַנט,
איבער שטעג און וועג און לאַנד
מיט די ציין —
האַק דעם שטיין!
האַק דעם שטיין און בלייב אַליין!
הונט און שלעפּער, לומפּ און ווינט.
הפקר, הפקר דורך דער פרעמד!
האָב־איך ניט קיין ראָק, קיין העמד,
האָב איך ניט קיין ווייב, קיין קינד.
פּויק איך אַז די פּויק זאָל פּלאַצן,
און איך דזשינדזשע אין די טאַצן,
און איך דריי זיך רונד־אַרום —
דזשין, דזשין, בום־בום־בום.
דזשין דזשין בום!

Another punch, another bump.
They spit again.
It's all the same—good and evil
Leap away. I gulp from a bottle—
Wet sweat, hot blood—
I chomp some bread.
I will play—
Drum until the drum explodes!
Beat upon the cymbals!
Round and round I whirl and spin.
Jin, jin, boom-boom-boom.
Boom boom jin!

So I make my way in strife,
Push and bite my way through life—
Through highways, lanes, and lands I stroll,
Beat my head against the wall,
My teeth break stone—
Like beggar, dog, and wind, alone,
I roam, forsaken on the earth—
No wife, no child,
No coat, no shirt.
I will play—
Drum until the drum explodes!
Beat upon the cymbals!
Round and round I whirl and spin.
Jin, jin, boom-boom-boom.
Boom boom jin!

פון מײַנע זעאונגען

I

ברענט די היץ ווי פײַער, קלעפּט צום לײַב זיך צו.
זוכט מען ווינט אין גאָרטן — זוכט מען שאָטן, רו.
שטײט בײַם צאַם אַ שטײן־באַנק מיט אַ לײדיק אָרט,
זעץ איך זיך אַנידער אָפּצורוען דאָרט.
זיצט מיט אויגן רויטע, ווי צום שטאַרבן קראַנק,
מיט איר קינד אַ שיקסל אויף דערזעלבער באַנק.
וויינט דאָס קינד און רײַסט זיך פון דעם שיקסלס שויס
און צו מיר די הענטלעך שטרעקט עס ציטריק אויס.
ווענד איך אָפּ די אויגן און איך קוק אַרויף, —
עפנט זיך דער הימל ווי אַ פאָרהאַנג אויף.
זע איך דעם־וואָס־אײביק מיד, ווי זיך אַליין,
אויבן אויפן הימל זיצן אויף אַ שטיין.
און ווי לעבן מיר דאָ, לעבן אים דאָרט אויך,
מיט איר קינד אַ שיקסל אויבן אין דער הויך.
אָבער דער־וואָס־אײביק ווענדט ניט אָפּ זײַן קאָפּ, —
מיט רחמנות קוקט ער צו דעם קינד אַראָפּ.
צו דעם קינד וואָס שטרעקט אים בײדע הענטלעך אויס
פון דעם קראַנקן שיקסלס אײַנגעדאַרטער שויס.

II

נעמט דאָס קינד בײַם שיקסל דער־וואָס־אײביק־איז,
שטראַלט דאָס ווײַסע לעמל אַרום זײַנע פיס.
קומען אויך מלאכים, רינגלען אים אַרום,
בויגן זיך און פאַלן, זינגען לידער פרום.
וויקלט דער־וואָס־אײביק נאַקעט אָפּ דאָס קינד,
ווערט דאָס ווײַסע לעמל ברוגז און פאַרשווינדט.
און אויך די מלאכים ברוגזן זיך אָן,
זעט שוין דער־וואָס־אײביק, וואָס ער האָט געטאָן.
ווײַזט ער אָן דעם שיקסל אויפן קינד אין שויס
און אויף דר׳ערד אַרונטער שפּײַט ער דרײמאַל אויס.
זעט דאָס שיקסל שפּײַען דעם־וואָס־אײביק־איז
הויבט זי אָן צו וויינען — פאַלט אים צו די פיס.

From My Visions

I

In this heat, you stick to your own body.
People crowd the park for breeze and shade.
I sit down to rest by the fence
On a bench with an empty space.
There, a girl with sick, red eyes
Holds a child.
The child cries. It squirms off her lap
And stretches its little hands to me.
I look up, averting my gaze.
The sky opens like a curtain
And, wearily, like me, the Eternal One
Up there in heaven, sits on a stone.
Near Him sits a girl with a child.
But the Eternal One does not turn away.
With compassion He gazes
At the child reaching its hands to Him
From the girl's skinny lap.

II

The Eternal One takes the child from the girl.
A little white lamp beams at His feet,
And angels surround Him, bowing,
Swaying, singing hymns of praise.
The Eternal One unwinds the bands that bind
The naked babe. Offended,
The little lamp vanishes and angels frown.
The Eternal One sees what He has done.
He points at the girl with the child on her lap
And spits three times on the earth below.
When she sees the Eternal One spit,
The girl starts crying and falls at His feet.

הייסט ער זי זאָל אויפשטיין, אויסלעשן די זון —
זאָל מען כאָטש ניט וויסן אין דער וועלט דערפון.
טוט זי ווי מען הייסט איר — לעשט דאָס זונליכט אויס,
ווערט דער טאָג אַנטרתען פון דער וועלט אַרויס.
רעוועט דער־וואָס־אייביק, ווי אַ לייב, און ברומט
וואַרטן ערד און הימל אויפן סוף וואָס קומט.
קלייבן זיך גלחים פון דער וועלט צונויף
און זיי שטעלן צלמים אין דער פינצטער אויף.
וואַקסט אַ צלמים־לייטער ביז די הימל־ווענט,
נעמען די גלחים שמאַטעס אין די הענט.
און מיט קלויסטער־לעמפלעך קריכט מען און מען קלינגט,
און מיט קלויסטער־לעמפלעך קריכט מען און מען זינגט.

אַ תּפֿילה פֿון אַ לומפּ

נעם מיין טאַלאַנט, און גיב אים אָפּ
אַן אַלטן הונט, צי אַ באַלעבאָס,
וואָס וויל אַביסל כּבוד אויך,
די ליבע שכנים צום פֿאַרדראָס.
אָ, העלף מיר, העלף מיר, גאָט.

אָ, העלף מיר, גאָט,
אַז ווען אין מיטן העלן טאָג
פֿאַלט אַן אויף מיר אַ גראָבער יונג
זאָל אויף זיין מאָרדע גלייך מיין פויסט
אַ הילך טאָן ווי אַ גלאָקן־קלונג.
אָ, העלף מיר, העלף מיר, גאָט.

אָ, העלף מיר, גאָט,
עס זאָלן אויך די גוטע פריינד
זיך גריבלען, מיט פאַרקריצטע ציין,
פון וואָס און ווי אַזוי איך לעב
און איך זאָל דווקא לײדיק גיין.
אָ, העלף מיר, העלף מיר, גאָט.

He orders her to rise and put out the sun,
So the world will not know what happened.
She does as she is told and puts out the sun.
Day disappears from the world.
Then the Eternal One roars like a lion
And Heaven and earth await the end.
Priests world-over gather
To set up crosses in the dark.
A ladder of crosses scales
The walls of heaven.
Priests take rags in their hands
And, by the light of little church lamps,
There is creeping and ringing,
And, by the light of little church lamps,
There is groping and singing.

A Rogue's Prayer

Take my talent, hand or toss
It to an old dog or a boss
Who also wants a little honor
To pique the envy of his neighbor.
Oh, help me, help me, God.

Oh, help me, God,
When in the middle of bright day
A roughneck tries to block my way,
Let my fist land on his chin
With the clang of bells resounding.
Oh, help me, help me, God.

Oh, help me, God,
Should my good friends discover,
Gritting their teeth, indeed uncover
With what and how I make my living;
Let me ever keep on loafing.
Oh, help me, help me, God.

אָ, העלף מיר, גאָט,
אַז ברענענדיק און האַרב אַזוי,
ווי ביי אַ שיסל פרישן כריין,
זאָל האַרב זיין דער פרומאַק וואָס וועט
אין מיינע דלד אמות שטיין.
אָ, העלף מיר, העלף מיר, גאָט.

אָ, העלף מיר, גאָט,
אַז עקלען זאָל פון מיינע רייד,
ווי פון אַ טויטער קאַץ אין מיסט.
און וואו איך שטעל אַ פוס אַוועק
זאָל יענער אָרט פאַרבלייבן וויסט.
אָ, העלף מיר, העלף מיר, גאָט.

אָ, העלף מיר, גאָט,
אַז ווי אַ ווילדער הורן-טאַנץ,
זאָל אין די אויגן וואַרפן זיך
מיין חוצפה אויך, און יעדער מאַן,
וואָס האָט אַ ווייב, זאָל שילטן מיך.
אָ, העלף מיר, העלף מיר, גאָט.

אָ, העלף מיר, גאָט,
אַז איך אַליין זאָל זיין די סערפּ —
און איך אַליין זאָל זיין דער שטיין.
און שפּייען זאָל איך אויף דער וועלט,
אויף דיר און אויך אויף זיך אַליין.
אָ, העלף מיר, העלף מיר, גאָט.

Oh, help me, God,
As burning and harsh
As fresh horseradish in a dish
Shall the pious hypocrite find pain
When he invades my small domain.
Oh, help me, help me, God.

Oh, help me, God,
Let my speech be disgusting
As a dead cat rotting in garbage,
Let every place where I set foot
Grow nothing and stay desolate.
Oh, help me, help me, God.

Oh, help me, God,
Let, as a whore's wild dance
In moral eyes, my impudence
Slap the cheeks of men with wives.
May they curse me roundly all their lives!
Oh, help me, help me, God.

Oh, help me, God,
Let me be the sickle blade
And let me be the stone that strayed
To break the blade. I shall spit
On You, on me, on the whole of it.
Oh, help me, help me, God.

גינגילי

אַ, גינגילי, מיין בלוטיק האַרץ,
ווער איז דער יונג וואָס טרוימט אין שניי
און שלעפט די פיס ווי קלעצער צוויי
אינמיטן גאַס ביי נאַכט?

דאָס איז דער תכשיט משה לייב,
וואָס וועט אַמאָל דערפרירן
בעת ער וועט פון פרילינג־צוויט
און בלומען פאַנטאַזירן;
און וועט ער ליגן שוין אין שניי
און זיך שוין מער ניט רירן, —
וועט ער אין טרוים נאָך דעמאָלט אויך
אין זאַנגען־פעלד שפּאַצירן.

טרוימט דער תכשיט משה לייב,
זינגט דער וועכטער טרי־לי־לי,
ענטפערט דער באַסיאַק האַפּטשי,
מאַכט דאָס הינטל האַוו־האַוו־האַוו,
מאַכט דאָס קעצל מיאַו.

אַ, גינגילי, מיין בלוטיק האַרץ,
ווער קריכט אין שניי אַהער, אַהין,
און זעט זיך זיצן ביים קאַמין
אינמיטן גאַס ביי נאַכט?

דאָס איז דער תכשיט משה לייב
וואָס פוילט זיך צו פאַרטראַכטן;
ער פרירט אין שניי און זעט פאַר זיך
אַ פּאַלאַץ אַ פאַרמאַכטן
און זיך אַליין דעם קעניג דאָרט
פון שומרים אַ באַוואַכטן
און אַלע זיינע יאָר פאַרגייען
ווי זונען אין פאַרנאַכטן.

בענקט דער תכשיט משה לייב,
זינגט דער וועכטער טרי־לי־לי,
ענטפערט דער באַסיאַק האַפּטשי,
מאַכט דאָס הינטל האַוו־האַוו־האַוו,
מאַכט דאָס קעצל מיאַו.

Gingeli

Oh, Gingeli, my bleeding heart,
Who is the guy who dreams in snow
And drags his feet like a pair of logs
In the middle of the street at night?

He is that jewel Moyshe-Leyb,
Who will freeze someday
While he fantasizes flowers,
Blossoms in the spring;
He will lie in the snow
And not stir anymore,
And, in his dreams, he will
Stroll through cornfields.

Moyshe-Leyb, that jewel, dreams,
The watchman sings tri-li-li,
The hobo answers with a sneeze,
The puppy yaps,
The kitten meows.

Oh, Gingeli, my bleeding heart,
Who crawls back and forth in the snow,
And thinks he's by a fireplace
In the middle of the street at night?

He is that jewel Moyshe-Leyb,
Who is too lazy to think.
He freezes in the snow and sees
A palace, closed in every wing;
The palace is guarded by sentries
And he himself is the king,
And all his years pass by
Like the sun at evening.

Moyshe-Leyb, that jewel, longs,
The watchman sings tri-li-li,
The hobo answers with a sneeze,
The puppy yaps,
The kitten meows.

אָ, גינגילי, מײַן בלוטיק האַרץ,
װער קאַרטשעט זיך אין דרײען אײַן
און האָפּקעט בײַם לאַמטערן־שײַן
אינמיטן גאַס בײַ נאַכט?

דאָס איז דער תּכשיט משה לײב,
װאָס שטעלט אין שנײ זיך טאַנצן,
כּדי עס זאָלן אים די פיס
ניט אײַנפרירן אין גאַנצן;
דאָבײַ זעט ער דעם שנײ אויף זיך
װי צװיט אין זונשײַן גלאַנצן
און מײדלעך מיט צעלאָזטע האָר
באַצירט מיט פײער־קראַנצן.

טאַנצט דער תּכשיט משה לײב,
זינגט דער װעכטער טרי־לי־לי,
ענטפערט דער באַסיאַק האַפּטשי,
מאַכט דאָס הינטל האַװ־האַװ־האַװ,
מאַכט דאָס קעצל מיאַו.

אָ, גינגילי, מײַן בלוטיק האַרץ,
צי איז דען דאָ אין שטאָט אַ האָן?
װער האָט דאָס אַזאַ קרײ געטאָן
אינמיטן גאַס בײַ נאַכט?

דאָס איז דער תּכשיט משה לײב,
װאָס האָט ניט װאָס צו זאָרגן,
און װײַל אים דאַכט זיך אַז דער טאָג
האָט ערגעץ זיך פֿאַרבאָרגן,
און װײַל אים דאַכט זיך אַז מען האָט
דעם לעצטן האָן דערװאָרגן,
צעקרײט ער זיך אַלײן און זאָגט
צו זיך אַלײן גוט־מאָרגן.

קרײט דער תּכשיט משה לײב,
זינגט דער װעכטער טרי־לי־לי,
ענטפערט דער באַסיאַק האַפּטשי,
מאַכט דאָס הינטל האַװ־האַװ־האַװ,
מאַכט דאָס קעצל מיאַו.

Oh, Gingeli, my bleeding heart,
Who curls threefold on himself
And hops in the streetlamp light
In the middle of the street at night?

He is that jewel Moyshe-Leyb,
Who stops in the snow to dance
So his feet won't freeze
Completely in his trance.
He sees snowflakes on his sleeve
Like blossoms in sunlight,
And girls with hair let loose
Adorned with fire-wreaths.

Moyshe-Leyb, that jewel, dances,
The watchman sings tri-li-li,
The hobo answers with a sneeze,
The puppy yaps,
The kitten meows.

Oh, Gingeli, my bleeding heart,
Is there a rooster in town?
Who crowed so loud
In the middle of the street at night?

He is that jewel, Moyshe-Leyb,
Who has no worries,
And because he thinks the day
Has hidden itself away,
And because he thinks the last
Rooster's neck has been wrung,
He bursts out crowing
Good morning to himself.

Moyshe-Leyb, that jewel, crows,
The watchman sings tri-li-li,
The hobo answers with a sneeze,
The puppy yaps,
The kitten meows.

II

פֿאַרטרייבט מען אַ מענטש אין די יאָרן פֿון היימלאַנד,
ווערט איבערגעריסן זיין לעבן אויף צוויי.
איין העלפֿט גייט אַרום אין דער פֿרעמד, און די צווייטע
בענקט שטענדיק אַהיים. און גאָר טיף איז איר וויי.

אין צייט, ווען אַ האַלבער יאַבלאָווסקי גייט שלעפֿריק
אַרום אין דער קיך מיטן בעזעם אין האַנט,
— פֿאַרבענקט זיך קיין פּוילן דער אַנדערער האַלבער
פֿאַרלאָזט ער די ערד פֿון דעם גאָלדענעם לאַנד.

ער טוט אויף זיך אָן אַ פּאָר ריזיקע פֿליגל
און אויך אַ פּאָר שטיוול, די לענג זיבן מייל.
ער לויפֿט און ער פֿליט איבער ימים און לענדער
אַזוי ווי עס פֿליט פֿונעם בויגן אַ פֿייל.

ער לויפֿט און ער פֿליט איבער ימים און לענדער
ביז וואַנען ער קומט צו זיין אייגענער ערד.
דאָרט נעמט ער צונויף זיין פֿאַרשפּילטן מאַיאָנטעק,
די הינט און די דינער, דאָס ווייב מיט די פֿערד,

די רינדער פֿון שטאַל, און דעם וואַלד מיט די פֿעלדער,
די פֿרוכט פֿונעם סאַד, און פֿון גאָרטן די בלום,
און אַלעם דאָס ברענגט ער אַהער צו דעם האַלבן,
וואָס גייט דאָ אין קיך מיטן בעזעם אַרום...

— ,דאָס ברענגט יענער האַלבער פֿון דאָרט דאָ אַהערצו
פֿון דאָרט, פֿון זיין היימאַטלעך פּוילישן טאָל.
— ,דאַן קלעפּט ער זיך צו צו דעם האַלבן פֿון דאַנען
ווערט ווידער אַ גאַנצער אַזוי ווי אַמאָל.

אַ פּאַן ווערט ער ווידער, אַ גאַנצער, אַ גרויסער.
ער זעט זיך אַליין אַזוי שיין, אַזוי רייך,
אַזוי ווי אַ נאַכט־הימל זעט זיינע שטערן,
וואָס שפּיגלען זיך אָפּ אין אַ לויטערן טייך.

from *Pan Jablowski*

II

When an old man is driven from his homeland,
His life is torn in two. And one half strays
Around the foreign place; the other always
Longs for home. Its grief is profound.

In time, when a half-Jablowski walks sleepily
Around the kitchen, broom in hand,
The other half gets homesick for Poland—
It leaves the soil of the Golden Land.

It puts on a pair of gigantic wings
And a pair of seven-league boots.
It runs and soars over land and sea
As an arrow flies from a bow.

It runs and soars over land and sea
Until it reaches his own soil.
There it gathers together his lost fortune,
His dogs and his servants, his wife and his horses,

Cattle from the barn, the forest and the fields,
Fruit from the orchard, flowers from the garden,
And all this it brings here, to the other half,
Which wanders about the kitchen with its broom . . .

One half brings all that here
From his home in the Polish valley.
Then it sticks to the other half,
And again he's a whole man, as in the past.

He becomes a Pan again, whole and great.
He sees himself handsome and rich
As a night sky sees its stars
Reflected in a clear river.

ביים טיש זיצט ער ווידער מיט ווייב און מיט קינדער —
דער וואודקי איז גוט און געשמאַק איז דאָס ברויט.
עס רוישט דורכן אָפענעם פענצטער די ווייסל
און וואונדערלעך שמעקט אים דאָס חזיר מיט קרויט.

און שיין איז אויך דאָס וואָס זיין סטודענט דערציילט אים
פון יענער גראַפינע, די שענסטע פון לאַנד,
וואָס האָט באָנאַפּאַרטן זיך איבערגעגעבן
אַבי צו „ראַטויען" דאָס פוילישע לאַנד.

דאָס פוילישע לאַנד און די שענסטע גראַפינע! —
יאַבלאָווסקי פאַרקלערט זיך, אים טוט אַזוי באַנג.
ער קלערט און עס מאָלט זיך אים אויס פאַר די אויגן
אַ מאָדנער פאַנטאַסטישער שיינער געדאַנק:

אָט איז ער אַליין באָנאַפּאַרטע דער קייסער,
עס קניט די גראַפינע פאַר אים אויף דער ערד.
און ער, באָנאַפּאַרטע, שטייט שטאָלץ, ווי פון אייזן,
געשטיצט זיינע הענט אויפן בלאַנקענדן שווערד.

זי וויינט און אומאַרעמט זיין פוס פול מיט ליבע
און ער קוקט ווי אייזן אַרונטער צו איר.
זיין קני ווערט פאַרברענט פון איר וואַרעמען בוזעם
און ער שטייט ווי אייזן — קיין וואָרט און קיין ריר.

צו טרוימען איז שיין. אָבער ווייי איז דעם טרוימער.
אָט כאַפּט ער זיך אויף און ער איז שוין ניט ער.
ער זעט, אַז די שווערד, וואָס די הענט זיינע האַלטן,
איז איינפאַך אַ בעזעם און קיין זאַך ניט מער...

ער זעט, אַז די שיינע גראַפינע איז אויך נאָר
אַ קאַטער, וואָס גלעט זיך די פעל ביי זיין פוס.
ער זעט אַז ר'איז ווידער אַ דינער אַ פּראָסטער.
און גרויס איז זיין ווייטיק און טיף זיין פאַרדרוס.

און קוקט ער זיך אָן, און באַטראַכט ער זיין הולך,
און זעט ער ווי קויטיק ער איז און ווי שוואַרץ,
דאַן פילט ער אַליין אויך אַז ס'איז ניט קיין וואונדער
פאַרוואָס עס פאַרבענקט זיך נאָך וואודקי זיין האַרץ.

Again he sits at the table with wife and children—
The vodka is good and the loaf is delicious.
Through the open window the Vistula sounds
As he savors pork and cabbage.

He likes to hear what his student son tells him
Of the countess, most beautiful in the land,
Who gave herself to Bonaparte
For the cause of the Polish land.

The Polish land and the loveliest countess!
Jablowski sinks in thought. He grows sad.
He ponders, and before his eyes an image—
Strange, fantastic, beautiful—takes shape:

He himself is the Emperor Bonaparte.
The countess kneels before him on the ground.
And he, Bonaparte, stands proud as iron,
Resting his hands on his gleaming sword.

She weeps and embraces his leg, full of love,
And cold as iron, he looks down at her.
Her hot bosom burns his knee,
And he stands like iron—not a word, not a stir.

How pleasant to dream! But woe to the dreamer:
He wakes and finds he no longer is he.
He sees that the sword in his hands
Is a broom, nothing more . . .

He sees that the beautiful countess is only
A tomcat rubbing against his leg.
He sees he is once again a simple servant.
Great is his ache and deep his resentment.

As he takes a look at himself, at his clothes,
As he sees how dirty he is, how foul,
Then he feels it's no wonder
That his heart craves vodka.

דאָס האַרץ בײַ יאַבלאָנסקין פאַרבענקט זיך נאָך וואָדקי.
די וועלט האָט קיין נײַעס ניט. אַלעס איז אַלט.
דער זינג־פֿויגל זינגט אויף זײַן אָזראַלטן אופן
אין שטייגל, אַזוי ווי אין אייגענעם וואַלד.

Jablowski's heart craves vodka.
There's nothing new under the sun:
The songbird sings in its ancient way
In a cage—as it sings in its woods.

II אין דער פרעמד

II IN A FOREIGN WORLD

אין דער פרעמד

I

קום, קום געזעגן זיך, ס'איז העכסטע צייט —
שוין שטייט די שיף ביים ברעג.
אדיע, מיין קינד. ווי שווער עס זאל ניט זיין —
איך מוז, איך מוז אוועק.

דריי טעג האָב איך געהאַפּט צו זיין מיט דיר
אליין, איין אויגנבליק.
נו, האָבן דיינע חברטעס גערויבט
ביי מיר דאָס גאַנצע גליק.

ביים באָדן־זיך, ביים שפּילן באַל, ביים טאַנץ,
אין אוונט ביים שפּאַציר,
ביז אין דער נאַכט אַריין — מען טוט זיך ניט
א ריר אָן מיר און דיר.

ווי לאָזט מען דאָס אַ ליבעס־פּאָר נישט אָפּ
אָן אויגנבליק צומאָל?
עס פלאַצט דאָך ביי אַ מענטשן שיר דאָס האַרץ —
אַ האַרץ איז ניט פון שטאָל!

דו לאַכסט? נו יאָ, איך וויים עס דאָך שוין לאַנג,
אַז דו ביסט פאַלש צו מיר.
דו בייזע, דו, אַוועק, איך האָב דיך פיינט.
איך רעד ניט מער צו דיר!...

III

דאָס טרייב־ראָד אין די וואַלן רוישן. די שיף גייט אָפּ.
איך קוק די מענטשן אָן וואָס שטייען נאָנט ביים ברעג
און פרעמד נעמט אויף מיין האַרץ דעם לעצטן גרוס פון זיי.
און רגע־ווייז פירט ווייטער אונדז די שיף אוועק,

און קלענער ווערט דער ברעג און גרויער מער און מער,
און רוישיק ציט זיך נאָך דער שיף אַ ווייסער שוים.
ווי שוים צעפליסט אין מיר דאָס גליק פון ליבע איצט,
ווי שוים צעפליסט אין מיר מיין האַרצנס שענסטער טרוים.

from *In a Foreign World*

I

Come, come, it's time to say good-bye—
The ship waits at the shore.
Adieu, my girl, it's hard, don't cry.
I can't stay anymore.

The past three days I'd hoped to be
Briefly alone with you,
But your inseparable friends
Denied me that joy, too.

They chose the games, assigned the roles—
Play ball, they said, and swim and dance—
And even ordered evening strolls
In groups—that killed romance.

How can it be that a loving pair
Is never left alone?
It breaks my heart. I tear my hair—
My heart's not made of stone!

You laugh? So, now I know! I know
That you are false to me!
You tease! You coquette! I hate you.
You won't get a word out of me!

III

The engine stirs up wake. The ship departs,
And watching people waving from the shore,
I feel a strangeness in my heart of hearts.
Minute by minute we're distanced more and more,

And the shore grows smaller, grayer, less distinct.
Behind, the ship spills out white churning foam
That dwindles like the loving happiness
I've left—my love for you, my dream of home.

איך קוק די געגענט און וואָס רינגלט מיך אַרום —
עס שפּרייט זיך אויס פאַר מיר אַ ווייטע פרייע וועלט —
אין מערב-זייט די זון, אין מזרח-זייט אַ ברעג.
אַ מײלן-לאַנגער ברעג מיט באַרג און וואַלד און פעלד.

און אָפּגעזונדערט שטייט אַ ווילאַ דאָ און דאָרט
און אַלע פענצטער קוקן פריי צום ים אַרויס.
און דאָ אין מיטן ים באַוועגט זיך אונדזער שיף
און איבער אַלץ שפּרייט פרידלעך זיך דער אָוונט אויס,

און אַלץ איז איינגעהילט אין טרוימערישער רו.
די רו וועקט אויף אין מיר אַ טיף-פאַרווייטיקט ליד —
מיין לעבנס יוגנט-צייט... איך זע אַ גאַס אַצינד.
דאָס לעבן דאָרט איז גרוי — איז וואָלקן-גרוי און מיד.

אויף שטויביק אַלטוואַרג שיינט אַריין די זון אין שטוב.
צום פענצטער קוקט אַריין אַ דאַרער קאַרשן-בוים.
מיין פאָטער גייט אַרום אַ שווייגענדער אין שטוב,
מיין מוטער און מיין שוועסטערל געדענק איך קוים.

און יונגערהייט האָב איך פאַרלאָזט מיין פאָטערס הויז.
אַליין אין פרעמדער וועלט אַרויסגעגאַנגען ווייט.
און אויף מיין וועג פאַרלאָרן האָב איך פיל, זייער פיל — — — —
און ווען איך האָב דערגרייכט דער יוגנטס שענסטע צייט

האָט מיך אַ שיף געבראַכט אין לאַנד אַריין, אַהער.
און פיל איך ראַנגל זיך פאַראייניזאַמט מוז איך זיין.
מיין קאָפּ ווערט לאַנגזאַם גרוי און עלטער ווערט מיין האַרץ.
די שטאָט שלינגט ברעקלעכווייז מיין יונגעס לעבן איין.

אין שענקלעך אָרעמע פאַרלעב איך מיינע נעכט.
אַ שווערע גרויקייט גייט דורך אַלע מיינע טעג.
און פרעמד איז מיר די שטאָט, ווי דאָ די געגנט איצט,
און פרעמד, ווי אַלע דאָ, וואָס זיצן אויפן דעק.

אַ לוסטיק-יונגע מענטשן-וועלט אין מיטן ים —
און ווייט אַרום אַ געגנט פריי, און שיין, און רייך —
און גאָר-נישט רעדט צו מיר... מיין לעבנסגאַנג
איז צו אַן אָרמען וואָגלענדען ציגיינער גלייך...

I look around here, where, before me, spreads
A world defined as free by its expanse
West to the sun, and to the coast eastward
With mountains, fields, and woods in the distance.

And here and there a single villa stands
With all its windows facing out to sea.
Midseas, our ship wends. Evening extends
From shoreline over ocean spacious peace.

The peaceful dreaminess awakes in me
A painful song—my childhood. There's a street
Where life is tired: a shriveled cherry tree
Looks through the sunlit window on antique

Dusty things. My father wanders through
The house in his customary silent mood.
I hardly remember my sister or my mother.
Quite young, alone, I set out into the world.

Bewildered, I wandered for a while, until
In my best year I let a ship bring me
Into this country, where, although I struggle,
I am lonely and my hair turns gray.

The city swallows my young life in crumbs.
I waste my nights in dingy little bars;
The gray of sameness goes through all my days—
The city is as strange as where we are

Now, on board ship, strange as those on deck
Who form a cheerful human world midseas,
In vast and vacant waters. Nothing speaks
To me—my life is like a poor, stray gypsy.

עס וואָגלט אַ ציגיינער אין דער וועלט אַרום.
קיין רו געפינט ער ניט. און יאָר נאָך יאָר פאַרשווינדט.
און קיינמאָל איז ניט גאַנץ די טראַנטע אויף זיין לייב
און תמיד קלינגט זיין ליד אַרויס אין נאַכט און ווינט — — —

V

די ליבע זינגט איר לעבנס-ליד אויף אונדזער שיף אַצינדער,
און אויגן לייכטן אויף מיט טיפער לעבנס-פרייד.
די ליבע זינגט, און אירלאַנדס יונגע זין און טעכטער טאַנצן
און טיפער רעדט צו מיר אַצינד מיין איינזאַמקייט.

צי דען געפעלט מיר ניט דאָס טאַנצן אונטער פרייען הימל,
אין מיטן אויף אַ ים אין ליכט פון אָוונט-שיין?
אין מיטן אויף אַ ים ביי פידל-שפּיל און צימבל-קלאַנגען —
וואו קאָן דאָס קליינע מענטשן-האַרץ נאָך פרייער זיין?

און הער איך רוישן ניט אַצינד דאָס בלוט אין מיינע אָדערן?
און רוישט דאָס לעבן ניט אין זייער טאַנץ-געשריי?
פאַרוואָס-זשע זיץ איך איינזאַם דאָ, ווי גלייך אַ תהום אַ טיפער
וואָלט אויף דערזעלבער שיף מיך אָפּגעשיידט פון זיי?

פאַרבראַכט האָב איך אַזוי אַליין די גאַנצע יוגנט מיינע.
פון תמיד אָן אַליין געשלעפּט זיך דורך דער וועלט,
געשלעפּט זיך ווי אַ בעטלער, וואָס וואָגלט מיד און איינזאַם
פאַרביי אַ וויטן ברייטן בליענדיקן פעלד...

אַלס קינד בין איך פאַראיינזאַמט שוין אין שטוב אַרומגעגאַנגען,
די שטוב ביי אונדז איז אויך אַ שפּייז-געוועלב געווען.
באַטראַכט האָב איך — ווי דאָ די טענצער איצט — די קונים, דאָרטן.
איך האָב זיי אָבער אויך נישט ליב געהאַט צו זען.

אַ פרעמדקייט האָט אַרויסגערעדט צו מיר פון זיי׳רע אויגן
און הענט געהאַט האָט יעדער, שוואַרצע ווי די ערד.
כ׳האָב אויך ניט ליב געהאַט צו זען ווי זיי׳רע טויטע פירט מען
צום צווינטער, מיט געזאַנג, אויף וועגענער און פערד...

A gypsy wanders, trudging through the world.
One year, and then another slips away.
His clothes are always torn. He finds no peace—
And his song resounds in night and wind always.

V

Love sings its life-song on the ship tonight,
And eyes light up with lively, deep delight.
Love sings, and Ireland's sons and daughters dance
And now I feel the loneliness advance.

Why, then, am I not satisfied to dance beneath the sky
In evening light in the middle of a sea?
In the middle of a sea, where fiddles and cymbals play—
Where could this little human heart be freer?

And don't I hear my blood rushing through my veins?
And doesn't life ring in the cries of their dance?
Why then do I sit here, as if a deep crevice
Separated me from them on this ship?

I spent my youth alone like this,
Always dragging around the world,
Dragging like a beggar who wanders tired and lonely
Past a distant, broad, and flowering field . . .

All my childhood I was lonely in the house.
Our house served both as a home and a grocery.
I observed the customers like the dancers here.
And I didn't like watching them, either.

Their eyes pronounced a foreignness to me
And they had hands black as soil.
Their dead were taken to the Christian cemetery,
Accompanied by song, on horse-drawn carts.

אין „שקאָלע” פלעג איך שטענדיק זען דעם לערערס בייזע אויגן
די קינדער אין די ערשטע בענק האָט ער געגלעט.
געשאָנקען האָב איך זיי מיין שפּיל-געצייג דאָס שענסטע,
און זיי — זיי האָבן שטענדיק בייז צו מיר גערעדט.

דערלאַנגט האָט איינער מיר זיין גאָלדן צלמל צו קושן,
דער צווייטער האָט אַ צלם אויסגעמאָלט אויף מיר;
און האָט מיין יונגעס הארץ דאָס ניט געוואָלט פאַרטראָגן —
האָט מיך אַוועקגעשטעלט דער לערער צו דער טיר.

און אַלע אָוונט, ווען די קלויסטער-גלאָקן פלעגן קלינגען,
געציטערט האָב איך דאַן אַליין אין שטוב צו זיין.
אַ יויזל האָב איך דאַן געזען וואָס קלאַפּט מיט שוואַרצע פליגל
און פאַנגט די קינדער אַלע אין אַ זאַק אַריין.

זינט דאַן האָב איך שוין שטעט און לענדער דורכגעוואַנדערט פילע.
היינט ווייס איך אַז די גלאָקן רופן תפילה טאָן.
היינט ווייס איך, אַז דער טויטער מענטש וואָס הענגט אויף אַלע צלמים,
איז מיינס אַ ברודער-הארץ, איז אונדזערער אַ זון.

געבראַכט האָט ער זיין בלוט צום קרבן פאַר זיין גרויסער ליבע,
פאַרלאַנגט האָט עס אַזוי זיין אייד'לע הארצנס-גלות.
פאַרוואָס-זשע קאָן מיין הארץ ניט לערנען זיך די לייט צו ליבן —
די אַלע פרומע לייט, וואָס גלויבן אין זיין בלוט?...

איך האָב קיינמאָל ניט ליב געהאַט די אדל-לייט פון פוילן,
אָן איינזאַמער בין איך אויף דייטשלאַנדס ערד געווען.
אין אַלע זייערע פּראָצעסיאָנס-געזאַנגען פלעג איך שטענדיק
דאָס אַלטע יויזל פון מיין קינדערצייט דערזען...

איצט בין איך ווייט פון זיי. און יאָרן זענען שוין פאַרגאַנגען.
מיין היים איז איצט ניו יאָרק, די פרייע פעלקער-שטאָט.
די שטאָט, וואו יעדער גלאָקן-קלאַנג פאַרקלינגט אַ נישט-געהערטער,
און אויך קיין בלוט פליסט דאָ אין נאָמען פון אַ גאָט.

און דאָך — ווי אין דער ערד די וואָרצל פון אַ בוים אַן אַלטן,
ליגט טיף אין מיר דער ווייטיק פון מיין קינדער-צייט.
ווי דעמאָלט איז אויך היינט מיין וואוינונגס-גאַס אַ וואָלקן-גרויע
עס רינגלען מיך אַרום דיזעלבע אָרמע לייט...

In school I used to watch the teacher's wicked eyes.
He petted the children in the first rows.
I would always give them my best toys,
And they'd respond with vicious words.

One of them made me kiss his small gold cross,
A second painted a crucifix on me;
And if I protested that I couldn't bear it,
The teacher would make me stand by the door.

In the evening, when the church bells pealed,
I'd tremble if I were home alone.
Then I would see a Jesus beating his black wings
And snatching up children in a sack.

Since then I've wandered through many cities and lands.
Now I know that bells are a call to prayer.
Now I know that the dead man on all the crosses
Is my kindred spirit, is our son.

He gave his blood as a sacrifice for his great love,
As his pure heart's flame desired it.
Why then can't my heart learn to love the people,
That pious people, who believe in his blood? . . .

I have never loved the nobleman of Poland,
I was a loner on the German soil.
In all their processional songs I used to
Glimpse the old Jesus of my childhood . . .

Now I am far from them. And years have passed.
My home is now New York, the free city of nations,
The city where church bells ring away unheard,
And where no blood flows in the name of a god.

And still, like the roots of an old tree in the soil,
The unhappiness of my childhood lies deep in me.
Today, as it was then, the street I live on is cloud-gray
And the same poor people surround me . . .

און זיץ איך דאָ אַזוי אַצינד פאַראייגזאַמט אויפן שיף־דעק,
און הערט מיין האַרץ דעם רויש, דאָס ווילדע טאַנץ־געשריי —
ווערט שווער מיין לעבן מיר, ווי גלייך עס וואָלט אויף זיך געטראַגן
אַן אַלטן, טויזנט־יאָריק־אַלטן, טיפן וויי...

מיר דאַכט, אַז איך אַליין — איך הענג אַצינדער אויף אַ צלם...
עס ליגט אַרום מיין קאָפּ אַ קראַנץ... אַ דערנער־קראַנץ...
פון מיינע הענט און פיס טריפט בלוט... און רונד־אַרום דעם צלם,
פאַרפירן מיינע פייניקער אַ ווילדן טאַנץ...

און שטיל בין איך. איך בעט ניט גאָט אַז ער זאָל זיי פאַרגעבן — — —
עס האָט מיין האַרץ פאַר זיי קיין פונק פון ליבע ניט — — —
דאָס אַלטע „למה" אויך איז לאַנג, שוין לאַנג אין מיר געשטאָרבן —
מיין האַרץ איז לאַנג שוין, לאַנג פון גאָט און גלויבן מיד. — — —

VII

און רואיק ווערט דאָס לעבן אויפן דעק. אַ שטילקייט שפּרייט זיך אויס
און אַלע הילן זיך אין מאַנטלען איין און קוקן וויט אין ים אַרויס,
און ליכטיק בלאַנקט און פינקלט דאָ און דאָרט אַ ליכט, אַ פייער־שיין.
די שיף גייט שטיל און פילע ווערן מיד און דרימלען לאַנגזאַם איין.
די נאַכט איז טיף. פיל טיפער פון דער נאַכט איז איצט די נאַכט אין מיר.
איך זע אַ טרייסט־געדאַנק. פאַרבענק איך זיך צוריקגיין צו דיר,
דערזע איך דיך, ווי זיך אַליין, פאַרבענקט און בלאַסער זעסטו אויס,
און פון דער טונקלקייט וואַקסט פאַר די אויגן מיר אַ בילד אַרויס.
אַ גאַס. אַ שטיבל, און אַ מוטער שטייט ביים פענצטער דאָרט. ס'איז נאַכט.
די מוטער קוקט צום פענצטער ווייט אַרויס, זי קוקט פאַרזאָרגט, און טראַכט.
פליט שטומערהייט איר טיפסטע האַרצנסקלאַג אין נאַכט אין ווינט אַרויס.
איר קינד, אין ווייטער ווייטער פרעמד, אַליין. און וואו? אין וועמעס הויז?
ווער היט זי אָפּ? און ווער וועט זיין דער מענטש וואָס וועט איר חתן זיין?
איר קינד איז שוואַך און שטיל. און לויטער איז עס ווי דער מאָרגנשיין.
און, גאָט באַהיט, פיליכט קומט ווער, וואָס זאָגט אַ גאָלדן גליק איר צו
און נאָך דער חופה שוין פאַרלאָזט, פאַרלאָזט ער זי... אויף הפקר וואו —
איך זע דיין מוטער איצט. גייט שטיל מיין האַרץ אַ וויטן וועג צוריק.
אַמאָל — דו ביסט אַ קינד געווען. דיין מוטער איז געזעסן ביי דיין וויג,
געזונגען דיר אַ ליד און אויסגעטרוימט דאָס שענסטע גליק פאַר דיר.

As I sit here alone on the ship deck,
And listen to the noise, the wild dance-shriek—
My life becomes heavy, as if it bore
A deep, thousand-year-old sorrow . . .

It seems now I hang on a cross . . .
On my head lies a crown . . . a crown of thorns . . .
From my hands and feet blood drips . . . and around the cross,
My tormentors strike up a desolate dance . . .

And I am silent. I don't ask God to forgive them—
My heart has no spark of love for them—
The old "why hast Thou forsaken me?" is dead—
My heart is long since tired of God and faith.

VII

And life on deck grows quiet. Silence spreads
And people, wrapped in coats, look out to sea.
And, here and there, a gleam, a glittering.
The ship moves quietly. Some fall asleep.
The night is deep. Much deeper than this night—the night in me.
I seek out one warm thought. I want to come back to you.
I imagine you, longing, pale.
And in the darkness an image grows:
A street, a little house. A mother stands by a window,
Gazing into the night, worrying into the wind.
Her child is far from home, alone. Where does she live now?
Who's taking care? And who will be her bridegroom?
Her fragile girl, pure as morning light, may,
God forbid, fall for some promise of golden bliss,
And after the wedding she'll be deserted, forsaken . . .
I see your mother now, and I retreat into the past.
Once you were a baby. Your mother rocked your cradle,
Sang you a song, and dreamed your fortune.

היינט ביסטו ווייט פון איר. ביסט פילע, פילע מיילן ווייט פון איר.
ביסט דאָ ווי איך... ווי איך און אַנדערע וואָס האָבן גלייך ווי דו
געהאַט אַ היים אַמאָל. העט־וואו, אויף יענער זייט פון ים, העט־וואו —
אויף רוסלאַנד ערד. אין פּוילן־לאַנד. געהאַט האָבן מיר אַ ווינקל אָרט
אין זיי׳רע שטעט. און אַלע האָבן מיר געלעבט אינאיינעם דאָרט,
און גוט איז אונדז געווען, כאָטש שווער האָט אונדז די צינזן־לאַסט געדריקט.
און כאָטש עס האָט דער קעניג בייזע לייט צו היטן אונדז געשיקט,
האָט קיינער ניט געקלאָגט. מיר האָבן אמת ליב געהאַט די ערד,
די ערד, וואָס גאָט האָט אונדז, די היימלאָזע, אין וואַנדער־וועג באַשערט.
און קיינמאָל האָט גאָטס נאָמען ניט אויף יענע טירן אויסגעפעלט,
אויף וועמעס שוועל עס האָט אַ קינד פון אונדז זיין פוס אַרויפגעשטעלט.
קיין אָרעמאַן האָט ניט ביים רייכנס טיש געפעלט טאָג־איין, טאָג־אויס.
און גאָט־געבענטשטער פרידן האָט געהערשט אין גאַס, אין יעדן הויז.
און קינדער האָבן זיך געשפּילט מיט זיי׳רע פאָטערס לאַנגע בערד,
און איבער אַלטע ספרים זינגענדיק און שטענדיק טיף פאַרקלערט,
און מיידלעך האָבן תפילין־זעקלעך אויסגענייט פון גאָלד און זייד.
און אַלע מיידלעך האָבן אויסגעזען אַזוי ווי שטערן ריין.
און אַלע זענען שעמעוודיק געווען, און גוט און ליב און שיין,
און אַלע האָבן זיי די מאַמעס זיי׳רע האַרציק ליב געהאַט,
און ווי אין פרילינג בליט די בלום אין פעלד און אויפן ביים דאָס בלאַט,
אַזוי האָט רואיק פרידלעך אויפגעבליט אַ דור און נאָך אַ דור,
און ווי אַ גאָלדענע קייט געצויגן האָבן זיך פיל הונדערט יאָר,
איז אָבער אַזאַ שטילע צייט פאַר אונדז ווייזט אויס צו שיין געווען, —
האָט זיך אַ דריי געטאָן דאָס בלינדע ראָד און דעמאָלט איז געשען,
אַז אויפגעהויבן האָט אַן אומרו זיך און, ווי אַ בייזער ווינט,
האָט זי אַרומגעכאַפּט דאָס לעבן גאַנץ, פון זקן ביז צום קינד,
אין יעדן לאַנד און אויף דער גאַנצער וועלט. און אין אַ וויסטער נאַכט
האָט זיך די זעלבע אומרו אויך צו אונדז אין גאַס אַריינגעבראַכט —
אַ קריג, אַ בייזע קריג האָט אָנגעהויבן צווישן יונג און אַלט.
און פרעמד איז איינער צו דעם אַנדערן געוואָרן, פרעמד און קאַלט,
גלייך איבער זיי וואָלט אומגעשוועבט די בשורה פון אַ בייז געריכט...
די זין אין יעדן הויז — זיי האָבן פּלוצלונג פון אַ נייעם ליכט
געזונגען און גערעדט, ווי פיבער־קראַנקע רעדן פונעם שלאָף.
די טעכטער אויך... דער פאָטער האָט געזען אין דעם אַ בייזע שטראָף.
„אַ בייזע שטראָף פון גאָט״ — האָט יעדער זקן שטום פון צער געטראַכט,
און אַלט און גרוי געוואָרן זענען יונגע מאַמעס איבער נאַכט.
און אין דער זעלבער צייט האָט אָנגערוקט אויף אונדזער גאַס
אַ שווערער וואָלקן־וואַל, דער האַס צו אונדז, דער דורות־אַלטער האַס.
צו הערן האָט זיך באַלד געבראַכט פון ערגעץ־וואו, אַז דאָ און דאָרט
האָט זיך אַ רויבער־הורדע ווילד אַריינגעוואָרפן אין אַן אָרט.

Now you are far from her, among us, who once had a home
Far across the sea, on Russian soil, or in Poland.
We had corners in their cities and we lived there together,
And life was good, although taxes oppressed us.
Although the king sent evil men to govern us,
No one complained. We loved this spot of earth
God granted us in our homeless wandering.
And God's name was inscribed on every door
Through which our children stepped.
Rich men had poor men to their tables every day,
And blessed peace prevailed in streets and homes.
Children played with their father's long beards.
Singing over ancient prayer books, or deep in thought,
Fine young men swayed, night and day.
And girls embroidered *tefillin* bags with gold and silk.
And all the girls were pure as stars,
Good and shy, pretty and dear, and they all
Loved their mothers sincerely.
And, as flowers and leaves unfurl every spring,
One generation blossomed after another.
And centuries extended like a golden chain.
But these quiet times were too good for us.
The blind wheel spun around, and then
A restlessness arose and, like a bad wind,
Blew through old and young in every land throughout the world.
And on a dark night, this restlessness descended on our street.
A vile dispute began between the generations,
And young and old became estranged, alien, cold,
As if a message of a terrible judgment hovered over them.
Suddenly the sons and daughters talked and sang
Of a new light, like a delirious patient babbling in his sleep.
The fathers saw this as "God's stern punishment."
They were voiceless with grief. Young mothers grayed overnight.
At the same time, a dark cloud crept over our street,
The age-old hatred of the Jews. Soon, news came
That bands of robbers had plundered this place or that.

און ווייל מיר האָבן ניט געהאַט קיין סערפּ, קיין האַמער און קיין שווערד,
האָט אונדז אַ וויסטער שרעק אַוועקגעיאָגט פון אונדזער היימאַטס-ערד.
און ווי אין האַרבסט צעטראָגט דער ווינט דעם בלעטער-שטויב אין פעלד,
אַזוי האָט אונדז די שרעק צעזייט, צעשפּרייט אין אַלע ווינקלען וועלט.
און ווי אַ שוואַרצע קייט, האָט זיך אַ שרעגנע שיפן גרוים און שווער,
געצויגן יאָרן-לאַנג אַריבער דעם אוקינוס דאָ אַהער.
און אייביק רוישט און ברויזט דער ים און שיפן גייען און גייען,
און קינדער לאָזן איבער דאָרט, אויף יענער זייט פון ים, אַליין
אַ טאַטן אויף דער עלטער שוין און ווער אַן אַלטע מאַמע אויך.
וואָס וואָגלט דאָרט אַרום, ווי אין אַ גרויען טאָג, אַ וואָלקן-רויך.
און טראַכט פון דיר, פון מיר, און פון אונדז אַלע דאָ, מיט טיפער פּיין...
און גייט אין טרוים צוריק צו אונדזער קינדער-וויג... און וויגט אונדז איין.
און וויינט אין זיך אַריין און בעט ביי גאָט עס זאָל אַ נס געשען,
זי זאָל זיך כאָטש נאָך איין מאָל פאַרן טויט מיט אירע קינדער זען.

VIII

ס'איז נאַכט. אַקעגן אונדזער שיף שטייגט אויף אַ נעפּל רויט און שווער.
נאָך אים אַ טונקלע וואַנט מיט פייערן וואָס ווערן מער און מער,
און טורעמס וואַקסן אוים און הויבן זיך אַרויס פון מיטן ים.
ווי ריזן-זיילן הויך, און העל-צעגליט. אַ טונקל-רויטער פלאַם
פאַרדעקט דעם הימל ווייט אַרום. די לופט ווערט הייס, ווערט
ענג-געדיכט.
און טורעמס ווערן מער און מער. אַ שפּיל, אַ צויבער-שפּיל פון ליכט.
אַ פייער-קראַפט וואָס שפּרייט זיך אוים און וואַקסט צום הימל הויך אַרויף
און שליידערט אָפּ די נאַכט אויף מיילן-ווייט, און הייבט זיך העכער אויף —
אַ ריזן-ווערק פון מענטשן-גייסט געבויט. אַ שטאָט פון שטאָל און גלוט —
ווי פיבער גייט די אומרו פון דער צייט אַצינדער דורך מיין בלוט...

And since we had no hammer, no sickle, no sword,
Fear drove us from our native land.
And as the autumn wind spreads leaves across the fields,
So fear scattered us throughout the world.
And like a black chain, a file of heavy ships,
Years long, carried us here, across the ocean.
And the ocean continually gleams and rolls, and ships cross it.
Children leave behind on the other side
A father grown old and, sometimes, an aging mother,
Who drifts like a cloud of smoke on a gray day,
Worrying about you, me, all of us here.
In a dream, she walks to our cradle and rocks us asleep,
And cries to herself and begs God for a miracle,
Begs to see her children once more before she dies.

VIII

Night. Across the water, a red fog rises.
Then a dark wall, swelling with fire,
And spires heave up from the sea
Like giant incandescent pillars. Blood red flames
Stain the sky. Air suffocates. A fiendish light plays,
A force of fire, spreading, flowering,
Flinging the night back for miles:
A giant work of human effort built, a steel city.
The age's restlessness—a fever—courses through my veins.

ס'איז האַלבע נאַכט. שוין לאַנג אַראָפּ בין איך פון שיף.
און מיד בין איך. איך ליג אָן שלאָף. מיין וויי איז טיף.

עס זוכט מיין האַרץ אַ טרייסט. איך טרוים. איך טרוים פון דיר.
איך הער דיך קומען איצט — איך זע דיך לעבן מיר —

דו שווייגסט, און קוקסט מיך אָן מיט אויגן טיף און פייכט —
דו ריִרסט מיין שטערן אָן — דיין האַנט איז מילד, איז לייכט —

עס וואַקסן דיר צוויי פליגל אויס — דו הויבסט זיך אויף —
און נעמסט מיך מיט — און שוועבסט מיט מיר אַרויף, אַרויף —

טיף אונטן — פינצטערניש, הויך אויבן — זילבער-שיין.
און אויף אַ וואָלקן וויגסטו מיך — דו וויגסט מיך איין.

איך הער, דו וויינסט, דו זינגסט — איך מאַך די אויגן צו —
דער וואָלקן שוועבט — און שטילער ווערט — איך שלאָף, איך רו —
איך רו — — —

X

Midnight. I have left the ship.
I'm tired, in pain. Can't sleep.

For comfort, I dream. I dream of you.
I hear you coming. I see you now:

Silent, you gaze with moist eyes—
You brush my forehead. Your hand is light.

Two wings sprout on your back. You rise
And take me with you, floating high—

Far below, dark. Above, a silver glow.
And on a cloud you rock me, rock me.

You're crying, crooning. I close my eyes.
The cloud floats, quiets. I sleep. I rest.
I rest.

לייב-בער

עס ציטערט דער פויגל אין נעסט פאַר אַ שטורעם אין וואַלד;
עס ציטערט לייב-בער און זיין פּנים ווערט טויזנט יאָר אַלט,
ווי נאָר ער דערמאָנט זיך די מענטשן אין גאַס פון זיין היים:
זיי האָבן דאָך פּנימער אַלע ווי טרוקענע ליים,
און וואוינען אין שטיבלעך מיט שימל און פראָסט אויף די ווענט,
און ריידן מיט ליפּן פאַרדאַרטע און טרוקענע הענט,
און שלעפּן זיך תּמיד אַזוי ווי פאַרשאָלטענע שווער,
מיט אויגן אַראָפּ צו דער ערד — דער אַהין, דער אַהער.

פאַרקירצט אים מיט שטראָף-רייד די יאָרן האָבן אָט-אָ-די לייט,
אַזוי ווי אַ בוים וואָס מ׳האָט אונטערגעהאַקט פאַר דער צייט.
געהאָדעוועט האָט מען דאָס האַרץ פון אַ קינד אין דער וועלט
מיט מעשׂות פון שדים, וואָס וואוינען אין וואַלד און אין פעלד.
און גרוי, ווי אַ שטראָס, ווען ער לאָזט זיך אַרויס פון זיין ברעג
און אַלצדינג פאַרפלייצט ער, וואָס קומט אין זיין ציללאָזן וועג,
אַזוי האָט די גרויקייט, וואָס שוועבט דאָרטן איבער זיין גאַס,
פאַרפלייצט זיין נשמה מיט אומעטיקייט און מיט האַס.

ווילסט זען וואָס דאָס מיינט? נעם אַ טאָוול און מאָל אויף אים אויס
פון איין זייט אַ שול, וואָס איז אַלט, און אַנטקעגן אַ קלויז,
אין מיטן אַ רינשטאָק מיט שמוץ און אַן אומריינעם אָרט,
און אידן שטעל אויס צו דער וואַנט מיט די פּנימער דאָרט,
און דיך מאָל אַריין אין אַ פענצטער, אַ יינגל, און טראַכט,
אַז דאָס איז גאָטס וועלט, וואָס דו זעסט אין דער פרי און פאַרנאַכט.
צו דעם הער זיך איין, צו דעם אייביקן דאַוון-געשריי,
און בענק נאָך אַ לעבן אַזאַ, ווען עס איז שוין פאַרביי.

ביי פריצישע פענצטער באַווייזט זיך אַ זינגער אַמאָל, —
צעפּאַלט צווישן ביימער און בלומען דער קלאַנג פון זיין קול.
הערט אפשר דאָס קינד פון אַן אָרעמען דינער זיך איין,
און לאָזט אויף אַ ווייל אין אַ קינדישן טרוים זיך אַריין.
זינגט עמעץ ביים פענצטער לייב-בערס — איז דאָס לעוו דער יונג,
וואָס רייסט פאַר אַ דאָרן שטיק ברויט זיך אַליין פאָרן צונג
און ווייזט ווי עס קראַצט זיך דעם שבת-גוים חזיר ביים וואַנט
און, ווי נאָך אַ שיקסע אַנטלויפט ווען ער ווייזט איר זיין שאַנד.

Leyb-Bear

Birds tremble in their nests before a storm;
So Leyb-Bear trembles, his face aged and worn;
He calls to mind those who remained at home.
Their faces seem to him like cracked, dried lime,
They live in huts with frosty, mildewed walls,
And talk with shriveled lips and scrawny hands,
And, weighted with some curse, they tramp around
Throughout the town, their eyes bent to the ground.

Their scolding threats cut short his life
Like a young tree felled before its time.
Within that world a boy's imagination
Was fed by tales of field-and-forest demons.
And muddy as a stream that overflows
And floods whatever comes its aimless way,
The grayness hovering above that place
Flooded his soul with gloominess and hate.

To see more clearly, take a board and draw
An old *shul* opposite a dingy *kloyz*;
Between, a gutter and the unclean place
Where men stand at the wall as if praying.
And paint yourself in, a boy at a window,
And think that, day-in, day-out, this is God's world.
And listen to the endless bray of prayer
And long for just this life when you're not there.

Sometimes in lordly windows a singer appears—
His voice crumbles among trees and flowers.
Perhaps the child of a poor servant hears
And drifts for a while in a child's dream.
Leveh, the fellow who sings by Leyb-Bear's window,
Tears out his own tongue for a hunk of bread,
And shows how a *shabes-goy*'s hog scratches against the wall,
And how a girl flees when he shows her his shame.

און אַז עס באַווייזט זיך דער האַרבסט מיט זיין רעגן און ווינט,
און ס׳קאַפּעט פון דאַך און פון רינווע דאָס וואַסער און רינט,
און טעפּערס צוויי־דריי פאַר דער שול־וואַנט מיט זעק אויף די קעפּ,
זיך וויגן אין רעגן אַריבער די שיסלען און טעפּ;
און אַז אויך אַ בעטלער ביים שפּילקאַסטן זיצט אויף דער ערד
און שפּילט וואָס, מיט אויגן צוויי בלינדע צום הימל געקערט,
צי ווערט דאָס ניט זיין, ווי אַ צושפּיל צום וואָיען פון ווינט —
צום אייגענעם אומעט, וואָס וויינט ווי דער רעגן און רינט?

און אַז אויך אַ טייך האָט דער בורא געשאַנקען דער גאַס,
איז וואו נאָר אַ שמוציקער מולטער, אַ ליידיקע פאַס
ביים ברעג מוז דאָס ליגן. און נאַקעטע, ביז צום געזעס,
געקניט האָבן ווייבער ביים וואַסער, געוואַשן געפעס.

געוואַשן, געריבן מיט טרוקענעם זאַמד און מיט שטרוי
און תמיד מיט הענט ברוין־און־בלויע און דאַרע אַזוי.
און פיל ס׳האָט געפלאַגט זיך דער ווינט און די זון מיט איר שיין — —
די בלאַטיקע גאַס האָט ניט אויפגעהערט בלאַטיק צו זיין.

ביינאַכט האָט לייב־בער אויך נאָר זעלטן־ווען שלאָפן געקענט.
אין דרויסן דאָס באָד־הויז מיט גרינע פאַרסאַזשעטע ווענט,
מיט לעכער ׳שטאָט פענצטער, פאַר קעץ און פאַר ווינטן צום שפּיל,
צו דעם נאָך דאָס רולאָזע רעדער־גערויש פון דער מיל.
אַ סקריפּ און אַ קלאַפּ פון אַ לאָד באַלד דאָ און באַלד דאָרט —
אַזוי האָט לייב־בער זיך פאַר פחד ניט רירן געטאָרט,
און ציטערדיק פלעגט ער פאַרהאַלטן דעם אָטעם אין ברוסט,
אַזוי ביז עס האָט זיך זיין טאַטע דער קראַנקער צעהוסט.

פאַרטאָג האָט ער אויפשטיין געמוזט און זיך אָנטאָן אַליין,
און אָנטראָגן וואַסער אין פעסל און דאַווענען גיין,
און גלייך נאָכן דאַווענען האָט ער געמוזט אַלע טאָג
אַריינגיין אין קרעמל און לערנען זיך פעלשן די וואָג,
און שמעקן דעם ריח פון גוים, וואָס פרעסן זיך אָן
מיט חזיר און ברויט שוין ביים ערשטן געקריי פונעם האָן.
און גלייך, ווי ביי טירן ביי פרעמדע, אַ קינד פון דער נויט,
האָט בעטלען געמוזט ער אַליין ביי זיין מאַמען דאָס ברויט.

זיין חדר — אַ פינצטערע נאָרע פאַר שפּינוועבס און שטויב,
אַ רבי, אַן אַלטער, אָן ציין און האַלב־בלינד און האַלב־טויב,
מיט באָרד און מיט וואָנצעס און פינגער פון טאַבאַק פאַרגעלט,
און תמיד אויך האָט ער לייב־בערן ביים ספר געקוועלט,

When autumn comes with wind and rain that leaks
And trickles from the roof, drips from the eaves,
And near the *shul* three potters with sacks on their heads
Sway in the rain over their bowls and pots,
And a beggar squatting in the dirt,
Blind eyes turned to the sky, plays his music box,
This tune accompanies the howling wind,
A melody for gloom that leaks like rain.

And since God granted to this street a river,
Along its banks must lie dirty bread bowls and empty barrels,
And women kneel by the water
Naked to their buttocks, washing pans.
They washed and rubbed with straw and with dry sand;
Their hands were always thin and black-and-blue,
No matter how hard wind and sunshine scrubbed,
The filthy street maintained its filthy hue.

At night, Leyb-Bear could very rarely sleep:
Outside—the bathhouse with green, sooty walls,
With holes for cats and wind to play among,
As well as the restless noise of the mill wheel.
A squeak and a bang of a shutter here and there—
So Leyb-Bear didn't dare to stir, from fear,
And trembling in his bed, he'd hold his breath
Until he heard his ailing father cough.

Before dawn he had to get up and dress,
Fetch water in a keg, and go to pray,
And after prayers, he had to—every day—
Go to the little shop and learn to tip the scales,
And smell the peasants, who'd have gorged themselves
On pork and bread by the time the rooster crowed.
And like a needy child at a strange door,
He had to beg bread from his own mother.

His school—a lair for spiderwebs and dust,
Where a toothless *rebbe* lived, half-blind, half-deaf,
With beard, mustache, and hands tobacco-stained,
Who loved to torment Leyb-Bear at the book

אזוי ווי דעם גראַשן, וואָס ר׳האָט אין די פינגער געדריקט
אַ האַלבן טאָג, איידער ר׳האָט ווען נאָך טאַביק געשיקט.
און ווייסט ניט לייב-בער, וואו מען האַלט, ווערט דער רבי געוואָר
און רייסט אים אַרויס פון די פאות צוויי זשמעניעס מיט האָר.

דער טאַטע לייב-בערס האָט נאָר זעלטן פאַרלאָזן דאָס בעט,
געזיפצט האָט ער פיל און געשוויגן פיל מער ווי גערעדט.
און פלעגט עמעץ קומען אים טרייסטן און רעדן פון גאָט,
האָט ער זיינע ברעמען פאַרצויגן, געשמייכלט מיט שפּאָט,
ווי איינער, וואָס ווייסט שוין, אַז ער האָט פאַרלוירן זיין וועלט.
געלערנט דאָך האָט ער לייב-בערן צו ליב האָבן געלט,
גלייך דאָס נאָר אַליין איז דעם לעבנס איינאיינציקער ציל,
און קיינמאָל געוואוסט האָט לייב-בער פון אַ קינדערשער שפּיל.

ס׳איז פרעמד פאַר אַ לאָמען די פרייד, וואָס מיר האָבן ביים טאַנץ,
ס׳איז פרעמד פאַר דער נאַכט אויך דעם מאָרגנס גינגאָלדענער גלאַנץ,
און פיל אויך עס גריבלט לייב-בער איז קיין פריילעכע שעה
אין זיינע פאַרגאַנגענע יאָרן, די יונגע, נישטאָ.
זיין אָנדענק פון דעמאָלט איז פוסט, ווי דאָס בעט אין אַ הויז,
וואָס בלייבט נאָך אַ מת, ווען מען טראָגט אים אין דרויסן אַרויס.
אַ היים אָבער בלייבט דאָך אַ היים, און לייב-בער בלייבט לייב-בער — — —
נאָר אָפטמאָל אויך ווערט אים די אייגענע בענקשאַפט צו שווער — — —

בענק אַהיים

בענק אַהיים און האָס דיין היימלאַנד,
זיי אַן אָפּגעבראָכן צווייגל
פון אַ בוים אַ לאַנג-פאַרדאַרטן.
זיי אַ קליינטשיק אַשנשטויבל
אין אַ ברענענדיקן טורעם.
כעס זיך, מענטשל, אין דיין ווייטיק.
ווען אַ לייב זאָל דאָ פאַרבלאָנדזשען
וואָלט ער וואָנזיניק געוואָרן,
וואָלט ער זיך אַליין צעריסן.
וויין אויף דיינע יאָרן, מענטשל,
ווי אין ים אַריין אַ רעגן
פאַלן דיינע טרערן.

Like the coin he pressed in his fingers half the day
Before he sent someone to fetch tobacco.
And if Leyb-Bear, reading Torah, lost his place,
The *rebbe* would know, and yank out half his *peyes*.

Leyb-Bear's father seldom left his bed;
He'd sigh, or lie there silent, more than talk.
And if you tried to comfort him with God,
He drew his eyebrows tight in a mocking smile
Like one who knows that he has lost his world.
He taught Leyb-Bear that loving money was
Life's foremost, singular, demanding aim,
And Leyb-Bear never knew one children's game.

A cripple finds strange our delight in dance,
The night finds strange the morning's radiance;
As much as Leyb-Bear ruminates, he finds
In his young years, no joy, no peace of mind.
His memories are empty as the bed
After the corpse that lay there has been buried.
A home is a home; Leyb-Bear remains Leyb-Bear—
But his homesickness is often too much to bear.

Homesick

Long for home and hate your homeland:
Be a branch broken
From a withered tree.
Be a fleck of ash
In a burning tower.
Torment yourself with your pain, little man.
If a lion strayed here,
He would go mad,
He would tear himself apart.
Cry for your years, little man.
Your tears fall into
The sea like rain.

פֿאָרטרעט: מיין זיידע —

I

הער איך אַרומגיין אין אַלקער ביי מיר
אַהין און אַהער, צווישן פענצטער און טיר —
טראַכט איך, ווער האָט זיך די חוצפּה גענומען
אין מיטן דער נאַכט אין מיין אַלקער צו קומען?
טראַכט איך און טראַכט, אפשר דער, אפשר דער,
דאַכט זיך מיר אויס, אָן די טריט וואָס איך הער,
אַז דאָס איז מיין זיידע, וואָס קומט מיך צו שטראָפֿן —
צו פרעגן, פֿאַרוואָס איך בין ווידער אַנטלאָפֿן
און איבערגעלאָזן די מאַמען אַליין
אויף הפקר, אַזוי ווי אַן עלנדן שטיין? — — —
בין איך דאָך מיד שוין די שטראָף־רייד צו הערן,
טראַכט איך, כ׳על פּרואוון אַנטשלאָפֿן צו ווערן.
הער איך מיין זיידן אַרומגיין ווי פֿריי׳ר.
ציִ איך די קאָלדרע העט איבער מיר,
און פּרואוו בלויז אַ קוק טאָן דורך שפּאַרעס פֿון ד׳אויגן.
זע איך מיין זיידן אַרומגיין געבויגן,
געבויגן — דעם קאָפּ ביז אַראָפּ צו דער ערד.
אַזוי ווי אַן אַלט און אַ שלעפּעריק פערד,
וואָס שלעפּט ערגעץ־וואו אַ ציגיינערשן וואָגן.
זע איך דאָס — ווילט זיך צום זיידן מיר זאָגן
ער זאָל ניט אַרומגיין דעם קאָפּ צו דער ערד,
אַזוי ווי אַן אַלט און אַ שלעפּעריק פערד.
פֿאַלט איין מיר, אַז אפשר בלויז איז דאָס אַ חלום,
הוסט איך און פּרואוו אים אָפּגעבן שלום.
שטעלט ער זיך אָפּ און ער קוקט אויף מיין האַנט
ווי איינער, וואָס טראַכט פֿון אַ זאַך נאָכאַנאַנד,
און זעט ניט די זאַך וואָס מען האַלט אים פֿאַר ד׳אויגן.
זע איך מיין זיידן אַזוי־אַ געבויגן,
געבויגן דעם קאָפּ ביז אַראָפּ צו דער ערד,
אַזוי ווי אַן אַלט און אַ שלעפּעריק פערד.
טראַכט איך שוין, אפשר גאָר וועט ער מיך שלאָגן — — —
האָב איך שוין מורא אים עפּעס צו זאָגן.

Portrait: My Grandfather

I

Someone is pacing near my bed,
From window to door, from foot to head.
I think, "Who has the nerve or right
To enter my alcove at midnight?"
Then I know that the steps belong
To my grandfather. He's come to harangue
Me because I ran away from home
And left mother lonely as a stone.
The scolding is too much for me—
I think I'll try to fall asleep.
Pulling the blankets up, I peer:
Stooped, grandfather walks from there to here,
His head drooped down to the floor
Just like an old, poor, sleepy horse
Dragging a gypsy cart somewhere.
I want to say, for him to hear,
"Don't droop your head down to the floor
Just like an old, poor, sleepy horse."
Then—this is a dream!—I understand.
Coughing "hello," I extend my hand.
He draws himself up, regarding the hand
Like someone so obsessed he can't
See what is held before his eyes.
I watch my grandfather's stooping guise,
His head drooping to the floor
Just like an old, poor, sleepy horse.
"Maybe he'll hit me now," I guess,
Too scared to utter no or yes.

האָב איך מורא וואָס מיין זיידע
שטייט אַזוי געבויגן שטיל,
וויל איך, אַז ער זאָל זיך זעצן
קלאַפּ איך מיטן שטול אין דיל.

שטייט ער ווי אַ וואַקסן מענטשל,
און ער טוט זיך ניט קיין ריר.
פּרוּאוו איך נעענטער צו אים צוגיין,
הויבט ער אויף זיין קאָפּ צו מיר.

איז זיין באָרד אַ בלוט־באַפּלעקטע,
און זיין פּנים שוואַרץ ווי קויל,
דאַכט זיך מיר איך זע אַ מעסער
אין זיין גרויס צעעפנט מויל.

פּרוּאוו איך אָנרירן דאָס מעסער,
שלעפּ איך עס פון מויל אַרויס,
ווענדט ער אָפּ פון מיר די אויגן,
בויגט ער זיך אַראָפּ, שפּייט אויס.

קוק איך — קומט ער, גיט מיר שלום
גלייך ווי גאָרנישט וואָלט געשען,
און זיין פּנים הויבט אָן שיינען,
אַז אַ בלינדער קאָן דאָס זען.

איז דאָס אַלץ פאַר מיר אַ וואונדער,
שמייכלט ער, און גלעט זיין באָרד
און אויף אַלץ, אַזוי ווי תּמיד,
ענטפערט ער מיט האַלבן וואָרט.

און ווי נאָכן מרחץ פרייטיק,
וואַשט ער זיך און גייט צום טיש,
זע איך אויך די מאַמע קומען —
חלה ברענגען, בראַנפן, פיש.

גיסט ער אָן און מאַכט די ברכה,
זאָגט לחיים אויפן קול,
און ער עסט די פיש, און לויבט זיי,
און ער בענטשט ווי אַלע מאָל.

II

It scares me that my grandfather
Stands silently bent over.
I want him to sit down,
So I bang a chair on the floor.

Standing there like a wax dummy,
He doesn't stir,
But he raises his head
When I try to come nearer.

Blood flecks his beard
And his face is black as coal.
I seem to see a knife
In his mouth's gaping hole.

I reach for the knife,
To pull it out.
He turns his eyes away,
Bends over and spits.

I watch. He comes to greet me
As if nothing were strange,
And his face begins to shine;
Even the blind could see it change.

It's all a wonder to me!
He smiles and strokes his beard
And he answers everything,
As usual, with half a word.

And, as after the bathhouse on Friday,
He washes his hands and goes to the table.
I also see my mother come
Bringing brandy, fish, and challah.

He pours the wine and makes a blessing,
Says *le-khayim* out loud,
Then he eats the fish and praises it,
And prays as usual.

נאָכדעם טוט ער אָן די ברילן,
בויגט זיך צו אַ ספר צו,
דאַכט זיך מיר, אַז ס'איז אַ חלום,
קוק איך — האָב איך ניט קיין רו.

פרואוו איך און איך פרעג צי זאָל איך
טאַביק פאַר אים קויפן גיין, —
בעט ער מיך איך זאָל זיך שפּילן
און זאָל לאָזן אים אַליין.

III

איז מיר שווער אַזוי צו לעבן,
וועל איך גיין צוריק אַהיים,
און זיך אויפשטעלן אַ שטיבל
בלויז פון ברעטער און פון ליים.

און זיך טובלען גיין דאָרט וועל איך
פאַרן דאַוונען, אַלע טאָג.
און אין מסחר, ווי מיין זיידע,
וועל איך היטן מאָס און וואָג.

מיט דעם אָרעמאַן אויך וועל איך
אַלצדינג טיילן, וואָס איך האָב.
און דערביי אויך וועל איך טראַכטן:
נישטיק איז דעם מענטשנס גאָב.

און צו חצות אויך וועל איך אויפשטיין,
ביי דעם ערשטן קריי פון האָן.
און פאַרגעבן וועל איך יעדן,
ווער עס האָט מיר שלעכטס געטאָן.

גוט זיין וועל איך צו מיין שונא,
ווי אַ טאַטע צו זיין קינד.
אפשר וועט דאָס מיין נשמה
לייטערן פון שלעכטס און זינד.

אפשר וועט דורך דעם דער פרידן
קומען איבער מיר אַליין.
און מיין זיידע אויך וועט רוען
אונטער זיין מצבה־שטיין.

Afterward, he puts on his glasses,
Hunches over a holy book;
This seems to be a dream.
Helpless, I simply look.

I test it and ask if I should
Buy tobacco for him.
He tells me to go out and play
And leave him alone.

III

I find it hard to live this way,
So I will go back home,
And build myself a little house
Of boards and clay and stone.

And I will purify myself there
Daily, before I pray.
And in business, like my grandfather,
I will watch over measure and weight.

And I'll divide among the poor
All of my belongings,
And learn from this the age-old truth:
Man's bounty is worth nothing.

At midnight, at the cock's first crow,
I'll pray for old Jerusalem,
And, as for those who've done me wrong,
I'll find how to forgive them.

I'll be good to my enemy
As a father to his son.
Maybe then my soul will be cleansed
Of evil and of sin.

Maybe a peace I've never known
Will come over me then,
And my grandfather will rest
Under his gravestone.

הער איך צוועלף דעם זייגער שלאָגן,
שטיי איך אויף צום תהילים־זאָגן.
זע איך זיבן וויסטע וועגן,
טאַנצן מיר פון דאָרט אַנטקעגן
זיבן ווייבער, אַלטע, טויטע,
אויף די קעפּ מיט היטלעך רויטע,
אויף די לייבער העמדער גרינע.
העמדער גרינע, לאַנגע, דינע.
זע איך דורך און דורך אין גאַנצן
זיי׳רע קרומע פּיס וואָס טאַנצן.
וויל איך לויפן צו די טירן,
קאָן איך זיך פון אָרט ניט רירן.
וויל איך שמע ישראל שרייען,
קאָן איך ניט די צונג באַפרייען,
גיב איך איבער צו דעם בורא
מיין נשמה. און מיט מורא
וואַרט איך וואָס דער סוף וועט ווערן,
לאָזט אַ האָן אַ קריי דערהערן.
רייסן זיך די טויטע ווייבער
זיי׳רע העמדער פון די לייבער,
און זיי קרייען ווי די הענער,
מיט משונהדיקע טענער.
און פון מיילער גרין ווי שימל,
שטעקן זיי אַרויס צום הימל
זיבן צונגען, קעפּ פון שלאַנגען,
און מיט פּעטש, ווי קלויסטער־קלאַנגען,
פּאַטשן אַלע זיך אין הינטן
און פאַרוואַנדלען זיך אין ווינטן.
האָבן זיי זיך אָפּגעטראָגן,
נעם איך זיך צום תהילים־זאָגן.

IV

The clock strikes twelve, and I arise
For psalm-saying. Before my eyes
On seven desolate, bleak roads
Come dancing toward me, from beyond,
Seven women, old and dead,
With red hoods wrapped around their heads
And thin, green shirts. Transparent feet
Drum out a skeletal dance beat.
I want to bolt, but I can't budge.
I want to shout the Jews' Watchword
But I cannot release my tongue.
I give my soul up to the Lord
And I await what end will come.
A rooster lets his crow be heard,
And each corpse tears off her green shroud
And cock-a-doodle-doos aloud
In eerie tones. From mouths as green
As mold, the corpses stick toward heaven
Seven snakes—their seven tongues.
Then, slaps resounding like church bells,
The seven smack themselves behind
And, whirling, spin, becoming winds
Blowing away, and escape. I take
A breath, and say the midnight psalms.

III בלאָנד און בלוי

III BLOND AND BLUE

גיי פאַרטרייב זיי...

אַז ס׳קומען לייט מיט בלאַטיקע און גרויסע פיס,
און פרעגן קיינעם ניט, און עפענען די טירן,
און נעמען אין דיין הויז ביי דיר אַרומשפּאַצירן
ווי אין אַ זנות-הויז ערגעץ אין אַ הינטער גאַס —
דאָ איז עס זיכער דאָך דעם האַרצנס שענסטער שפּאַס
אַ נעם צו טאָן אַ בייטש אין האַנט, ווי אַ באַראָן
וואָס לערנט זיינס אַ קנעכט גוט-מאָרגן זאָגן,
און פּשוט ווי די הינט זיי אַלע צו פאַריאָגן!

וואָס אָבער טוט מען מיט דער בייטש, אַז ס׳קומען לייט
מיט זאַנגען-בלאָנדע האָר און הימל-בלויע אויגן,
און קומען ווי די פייגל פלינק אַריינגעפלויגן,
און וויגן כלומרשט דיך אין שיינע טרוימען איין,
און גנבענען דערווייל זיך אין דיין האַרץ אַריין,
און טוען זינגענדיק די קליינע שיכלעך אויס,
און באָדן, ווי אין זומער-טייכלעך קינדער קליינע,
ביי דיר אין האַרצנס-בלוט די פיסלעך זיי׳רע שיינע?

אַ גוטער חלום

איז דער הימל אויבן
אַזוי בלוי און גרויס,
שטרעקט אין זאַמד אַ מידער
משה-לייב זיך אויס.

חלומט משה-לייבן,
אַז מען קומט מיט שטריק —
און מען כאַפּט און מען שלעפּט אים
אין דער שטאָט צוריק.

קומט צופליען אַ מלאך
און צעשפּרייט די הענט,
צינדט זיך אָן אַ פייער —
ווערט די שטאָט פאַרברענט.

Just Try and Get Rid of Them

When people with muddy, big feet come
And push open your door without knocking
And walk around in your house
As in a brothel on some back street,
The best joke is
To take whip in hand like a baron
Who teaches his servant to say a proper good morning,
And chase them away like dogs.

But what good is the whip when people
With hair blond as cornhusks and sky-blue eyes
Come nimbly as birds fly
And rock you in lovely dreams
And steal into your heart
And, singing, kick off their small shoes
And like children in a summer stream
Bathe their little feet in your heart's blood?

A Good Dream

Above, the sky
Is blue and wide.
A tired Moyshe-Leyb
Stretches out in the sand.

Moyshe-Leyb dreams
That they come with ropes
And catch him, and drag him
Back to the city.

An angel comes flying
And spreads out his hands.
A fire starts, and
The city burns down.

ווערט די שטאָט צעשוואומען,
ווי אין ווינט אַ רויך ;
זעט אויך משה־לייב זיך
פליען אין דער הויך.

איז ער אויבן זיכער
ווי אַ פיש אין טייך ;
איז ער דאָך אַ מלאך
מיט מלאכים גלייך.

הויבט ער אָן צו זינגען
און צו לויבן גאָט, —
וואָס ר׳האָט זיך דערבאַרעמט
און פאַרברענט די שטאָט.

זשום־זשום־זשום

שלאָפט משה־לייב ווי אין אַ וויג,
פליט אַרום זיין נאָז אַ פליג.
פליט די פליג מיט זשום־זשום־זשום,
ווי אַ בין אַרום אַ בלום.
דאַכט זיך אים, אַז שטילערהייט
ווייזט מען אָן אויף אים מיט פרייד
און מען זאָגט אַז גאָר אין לאַנד
איז נישטאָ אַזאַ טאַלאַנט.
קוקט ער כלומרשט ערגעץ העט,
גלייך ער הערט ניט וואָס מען רעדט.
נעמט זיך שוין די פליג פאַר דאָס
און זי זעצט זיך אויף זיין נאָז.
דאַכט זיך אים, אַז צו זיין קאָפּ
בויגט זיך עמעצער אַראָפּ
און ער זאָגט, אַז גאָר אויף דר׳ערד
איז נישטאָ אַזאַ מין פערד.
וויל ער — ווער דאָס איז — דערגיין,
הערט ער ברומען זיך אַליין...
גיט ער זיך אין נאָז אַ קראַץ
און ער טראַכט זיך, אַז ס׳איז שוואַץ,
און ער גיט אַ געניץ אויך,
און ער לייגט זיך אויפן בויך.

The city dissolves
Like smoke in the wind;
Moyshe-Leyb hovers
High in the sky.

He floats above, sure
As a fish in the river;
Indeed, he's an angel
Among angels.

He begins to sing
And to praise God
Who took pity
And burned down the city.

Buzzing

Moyshe-Leyb sleeps like a baby.
Around his nose buzzes a fly
Like a bee circling a flower.
It seems to him that quietly
They point him out with pride
And say that in the whole land
There is no finer talent.
He pretends to look off somewhere
As if he simply doesn't hear,
And the quick-witted fly lands on his nose.
It seems to him that someone bows
Down to his head and distinctly says
That in the whole wide world
There exists no finer ass.
He wants to find out who said this;
He listens—the grumbling is his own.
So he scratches his nose
And dismisses it as gossip,
And he yawns a big yawn,
And rolls over on his stomach.

און אַז משה-לייב, דער פּאָעט, וועט דערציילן,
אַז ער האָט דעם טויט אויף די כוואַליעס געזען,
אַזוי ווי מען זעט זיך אַליין אין אַ שפּיגל,
און דאָס אין דער פרי גאָר, אַזוי אַרום צען —
צי וועט מען דאָס גלייבן משה-לייבן?

און אַז משה-לייב האָט דעם טויט פון דער ווייטן
באַגריסט מיט אַ האַנט און געפרעגט ווי עס גייט?
און דווקא בעת ס'האָבן מענטשן פיל טויזנט
אין וואַסער זיך ווילד מיט דעם לעבן געפרייט —
צי וועט מען דאָס גלייבן משה-לייבן?

און אַז משה-לייב וועט מיט טרערן זיך שווערן,
אַז ס'האָט צו דעם טויט אים געצויגן אַזוי,
אַזוי ווי עס ציט אַ פאַרבענקטן אין אָוונט
צום פענצטער פון זיינס אַ פאַרהייליקטער פרוי —
צי וועט מען דאָס גלייבן משה-לייבן?

און אַז משה-לייב וועט דעם טויט פאַר זיי מאָלן
ניט גרוי און ניט פינצטער, נאָר פאַרבן-רייך שיין,
אַזוי ווי ער האָט אַרום צען זיך באַוויזן
דאָרט ווייט צווישן הימל און כוואַליעס אַליין —
צי וועט מען דאָס גלייבן משה-לייבן?

Memento Mori

And should Moyshe-Leyb, the poet, say
That he saw Death along the waves
Just as he sees himself in the mirror,
And it was in the morning, around ten—
Will they believe Moyshe-Leyb?

And should Moyshe-Leyb have greeted Death
With his hand in the air and asked how things are,
Just then, while thousands of people
Were in the water living it up—
Will they believe Moyshe-Leyb?

And should Moyshe-Leyb, in tears, have sworn
That he is drawn to Death
As a desiring man at dusk is drawn
To the window of a woman he adores—
Will they believe Moyshe-Leyb?

And should Moyshe-Leyb have then portrayed
Death—dazzling, colorful, not gray
And dark—as he appeared around ten,
Alone, between sky and waves—
Will they believe Moyshe-Leyb?

רויטער רעגן

בענק און טרינק און הוליע אין חברים־רינג
און הירזשע ווי אַ פערד,
און שפּרינג,
און וואַרף זיך צו דער ערד,
און לאַכן זיי, איז — פּלאַץ פון ווײ.
און הויב זיך אויף און לאַך מיט זיי,
און הויך, ווי פון אַ ווייסט־באַטרונקענעם,
זאָל קלינגען דיין געלעכטער.
אוי, סאַראַ ווערט עס האָט דאָס גאָט־פאַרדאַמטע לעבן,
העַ־העַ־העַ!

איר קוקט מיך אָן. איך בין באַטרונקען, יאַ?
און דאָ דאָס האַרץ — איר זעט?
אַ וועלט האָב איך פאַרשפּילט, אַ וועלט.
איר ווייסט ווי בלויע אויגן זעען אויס?
און בלאָנדע האָר האָט איר געזען אַמאָל?
צי שיין איז זי געווען?
חכמים איר, —
הויבט אויף די אויגן צו דער זון — איר קאָנט?
העַ־העַ, אַ מעשה פאַלט מיר איין:
עס האָט אַמאָל אַ מענטש געהאַט אַ האַרץ,
וואָס האָט אין מיטן העלן טאָג אים אָנגערעדט
ער זאָל אַרויפקריכן צום העכסטן שפּיץ פון באַרג
און אָנשטעלן די אויגן צו דער זון.
זיין שטראָף? —
נאָך איידער ס׳איז דער טאָג אַוועק
איז בלינד געווען דער מענטש. — — —
און אַז דער מענטש האָט בלינדערהייט
אַ ברום געטאָן, ווי אַ צערייצטער בער,
און איינגעגראָבן מיט די נעגל זיך
אין אייגן לייב אַריין,
און אַז ער האָט אַרויסגעריסן שוין
דאָס שטיקל האַרץ, משטיינס געזאָגט,
וואָס האָט אים אָפּגענאַרט —
איז וואָס געשען?
זיין בלוט, וואָס האָט אַראָפּגעשפּריצט ביז טיף אין טאָל אַריין,
געווען איז דאָס פאַר קלוגע לייט — אַ רעטעניש.

Red Rain

Hanker, drink, and live it up with friends
And whinny like a horse,
And jump up
And throw yourself down,
And if they laugh, burst with pain
And pick yourself up and chortle with them
Drunkenly.
Oh, what's this goddamned life worth?
Heh heh heh!

You stare at me. I'm drunk, yes?
And here's my heart, you see?
I've gambled a world away.
You know how blue eyes look?
And you've seen blond hair?
Was she beautiful?
Wise guys—
Raise your eyes to the sun, can you?
Heh heh—a story comes to me:
Once a man had a heart
That instructed him, in the middle of a bright day
To crawl up the highest mountain peak
And fix his eyes to the sun.
His punishment?—
Before the day had passed, the man was blind.
And when the blinded man
Roared like a maddened bear,
And dug his nails into his own body,
And when he wrenched out
The little thing called a heart
That had tricked him—
What happened then?
His blood, spurting up so high it fell deep into the valley,
Was to clever men—a riddle,

פֿאַר פֿרויען גוט און פֿרום — אַ וואונדער.
און קינדער האָבן אין די הענט געפּאַטשט,
און טאַנצנדיק געזונגען האָבן זיי:
אַ רויטער רעגן גייט,
אַ רויטער רעגן,
אַ רויטער רעגן גייט,
אַ רויטער רעגן.
נו, שטייט איר דאָ און קוקט מיך אָן ווי קעלבער.
איינס, צוויי, דריי, פֿיר, פֿינף, זעקס, זיבן.
זיבן מענטשן-לעבנס אין אַ רינג,
דריי פֿון מין „דער מאַנספּאַרשוין״,
וואָס זעען אויס ווי געטשקעס אויף די קלויסטער-ווענט,
און פֿיר מיט בוזעמס הויך און ברייט —
געשעפֿטס-פֿירער פֿון אונדזער פֿירמע „ליבע״,
גראַציעז!
אַנטשולדיקט, מיינע דאַמען, מעג איך פֿרעגן?
ווי פֿאַרקויפֿט איר אייער וואַרע —
פֿער וואָג? פֿער מאָס?
און גיט איר בלויע אויגן אויך דערצו?
און בלאָנדע האָר?
אוי, סאַראַ ווערט עס האָט דאָס גאָט-פֿאַרדאַמטע לעבן!
הע-הע-הע. — — —
ווער פֿון אייך עס האָט אַן אונטערקלייד אַ ריינס,
קאָן גיין מיט מיר.

מאַדאַם —

מאַדאַם, אויב איר הייסט מיך אַוועקגיין פֿון אייך,
זייט זיכער, איך גיי — נאָר אין טייך אַריין גלייך.
איר ווייסט דאָך, ווי הויך ס׳איז די וויליאַמסבורג-בריק.
איך שפּרינג פֿונעם שפּיץ, און איך ברעך דאָס געניק.
דאַן וועט מען אין וואַסער די בלעזלעך נאָר זען,
וואָס וועלן דערציילן אַ מענטש איז געווען,
און נאָכדעם מער גאָרנישט. די וואָך פֿון געזעץ

To good, pious women—a miracle,
And children clapped their hands
And, dancing, sang:
It's raining red rain,
Red rain,
It's raining red rain,
Red rain.
So—you stand there staring at me like calves.
One, two, three, four, five, six, seven.
Seven human beings in a circle,
Three of the "manly type"
Who look like idols on church walls,
And four with high, broad bosoms—
Managers of our "Love Co., Inc."
Gracias!
Excuse me, my ladies, may I ask,
How do you sell your wares?
By weight? By measure?
And do you include blue eyes?
Blond hair?
Oh, what's this goddamned life worth!
Heh heh heh.
Whoever of you has clean underwear
Can come with me.

Madame—

Madame—if you command me to leave you,
Indeed, I'll go, but straight into the river.
Surely you know how high the Williamsburg Bridge is.
I'll jump from the top and break my neck.
Then, only bubbles in the water
Will serve as signs that someone existed,
And after that, nothing. The policeman, guardian of the law,

וועט אפשר אַ פּייף טאָן — דערשרעקן די קעץ,
וואָס בלאַנדזשען אַרום אויפן בריק אין דער נאַכט.
וועט אפשר אַ מענטש אויך, וואָס זיצט דאָרט און טראַכט,
זיך פּלוצעם אַ כאַפּ טאָן ביים ליסענעם קאָפּ,
וואָס גלאַנצט פון דער ווייט, ווי אַ קופּערנער טאָפּ.
און עפּענען ווילד וועט ער אויגן אין מויל
און שעפּטשען: „אַך, פייפן זיי דאָס. סאַראַ גרויל!׃
דערווייל וועט אַ פיש־דעפּוטאַציע שוין
עמפּפאַנגען מיך אונטן, מיר אָנטאָן אַ קרוין
פון גאָלדענע שופּן מיט פּערל באַצירט.
און נאָכדעם וועט קומען, פראַנצויזיש פריזירט,
אַ מיידל האַלב־פיש — זיך צעקושן מיט מיר
און אויפרייסן וועט זי אַ גלעזערנע טיר
און אויסרופן הויך: אין אַ גליקלעכער שעה
מיין טייערער התן משה־לייב איז שוין דאָ!
נאָר באַלד וועט שוין וואו ביים אַטלאַנטישן ברעג
אַ פישער צעעפּענען די אויגן מיט שרעק.
און מאָרגן מיט זונאויפגאַנג וועט שוין אַ בלאַט
דאָ ברענגען די נייעס רעפּאָרטעריש־גלאַט:
„אַ פישער אין א י ק ס האָט ניט ווייט פונעם ברעג
געפונען אַ מענטש מיט אַ רויט־בלויען פלעק
אויפן סאַמע שפּיץ־נאָז" — און איינפאַלן וועט
קיין איינצייייקן ניט, אַז דאָס איז אַ פּאָעט,
וואָס האָט מיט אַ דאַמע ביים ווין ראָמאַנסירט,
און זי איז דאָס די, וואָס האָט איבערגעפירט
זיין נאָז מיט אַ בים. און דערפאָר האָט ער זיך
אויף מעסערס צעקריגט, און מיט הויזן און שיך
זיך געוואָרפן אין ים. אַך, ווי אמתדיק פיין
און ווי קינסטלעריש־אָריגינעל דאָס וואָלט זיין,
ווען דאָס וואָלט באמת געשען! — טוט מיר לייד.
איך בין צו אַ קונסט־שטיק אַזאַ נאָך ניט גרייט.
און ים־וואַסער האַס איך דערווייל נאָך ווי סם.
און אויב איך פאַרבענק זיך אַמאָל נאָך אַ ים,
איז העכסטנס נאָך יענעם, וואָס שפּרייט זיך פאַר מיר
אין ה י י נ י ש ע ר „נ אָ ר ד ־ ז ע ע" אויף ביבל־פּאַפּיר.
און איבריקנס, זענט איר, מאַדאַם, פיל צו שיין,
און ס'איז אַ געפאַר אייך צו לאָזן אַליין,
טאַ קומט, זייט ניט ברוגז. פילט אָן מיר דאָס גלאָז — — —
עס טוט מיר דאָך ווי, אַז מען בייסט מיר אין נאָז.

May blow his whistle to frighten the cats
Straying around the bridge at night.
Maybe, too, a man who sits there thinking
Suddenly will grab his bald head
Shining from a distance like a copper pot.
And he'll open his eyes and mouth wide
And whisper, "Ach, how they whistle. Such a horror!"
Meanwhile, a delegation of fishes will
Receive me underneath, crown me with
Golden fish scales adorned with pearls.
And after that, a girl, half-fish, French-coiffed,
Will come to drown me in kisses,
And she will pry open a glass door
And call out loudly: "Such a lucky hour—
My bridegroom Moyshe-Leyb is here!"
But soon, somewhere on the Atlantic coast,
A fisherman will blink his eyes open with fear.
And by sunrise, the morning paper
Will report the news smooth and glib:
"A fisherman in X, not far offshore,
Found a man with a red-blue spot
On the tip of his nose." And it won't occur
To anyone at all that this is a poet
Who courted a lady with wine,
And she is the one who ruined
His nose with a bite. Therefore,
In spite,
He threw himself in trousers and shoes
Into the sea. Ach, how truly
Fine, how artistically original that would be—
If it would really happen! Much to my regret,
I am still not ready for such a piece of art.
And I hate seawater like poison.
And if for a moment I long for a sea,
Mostly it's the one that spreads out before me
In Heine's *Nordsee* printed on bible paper.
And, besides, you are, Madame, far too good-looking
And it's dangerous to leave you alone,
So come, don't be angry. Fill up my glass—
It hurts to be bitten on the nose.

אין סאַבוויי

אַמאָל פלעגט מען שלאָגן מיט בייטשן, דעם שקלאַף אויף דער קייט.
היינט זענען, ווי בייטשן געפאַלן אויף מיר דיינע רייד.
איצט האָמערט מיין אומרו אין מיר אַזוי בייז, אַזוי שווער.
אַזוי ווי דאָס אייזערנע רעדער־גערויש וואָס איך הער.
און גליענדיק ברענט אין די אָדערן מיינע דאָס בלוט,
אַזוי ווי די שאַרפע עלעקטרישע גלי־לאָמפּן גלוט
וואָס ברענט אין וואַגאָן אָט־אָ־דאָ איבער דיר, איבער מיר.
איין סטאַנציע נאָך און איך וועל זיך געזעגענען מיט דיר.
אַ בויג טאָן זיך וועל איך. אַ קריץ טאָן ווי איצט מיט די ציין,
און יאָגן זיך וועל איך דורך נאַכט, און דורך גאַסן אַליין,
ביז אַלץ וואָס כ׳על זען וועט זיין רויט, ווי אַן אָפענע וואונד.
און ביז ס׳עט מיין ווייטיק מיר זינגען דאָס ליד פון אַ הונט,
וואָס האָט אין אַ גאַס, אין ביינאַכטיקן רויש פון דער שטאָט,
פאַרלוירן אַ מענטש, און מיט אים אויך זיין הינטישן גאָט.

אַ מאָדנע מחשבה

אַ מאָדנע מחשבה: איך קוק אויף דער פּען
און קוק אויף מיין האַנט, ווי זי שרייבט, און מיר דאַכט,
אַז איך בין געשטאָרבן אין היינטיקער נאַכט.

געשטאָרבן אָט־דאָ ביי דער גויע אין הויז,
און מער ניט — די פּען איז געבליבן פון מיר,
אַ פּען און אַ ליד אויף אַ שטיקל פּאַפּיר.

דאָס ליד איז פיליכט נישט דערענדיקט געווען,
וואו איז עס? עס ליגט אויף דער שוועל פאַרן הויז,
עס איז מיטן ווינט דורכן פענצטער אַרויס.

און מאָרגן — קען זיין, דו וועסט קומען צוגיין
און טרעטן וועסטו אויף מיין ליד מיט דיין פוס,
און וואַרטן פון פענצטער זאָל קומען מיין גרוס.

און בייז ווערן וועסטו און שילטן פיליכט,
און לאָזן מיר וועסטו אַ צעטל אין טיר,
אַז די וועסט שוין קיינמאָל ניט קומען צו מיר.

In the Subway

They used to beat their slaves with whips—
Now whips, your words fall from your lips,
And unrest hammers in me hard
As the clanging iron wheels I hear.
The blood burns in my veins and glows
Like the underground electric glare
Burning above us both right here.
Just one more stop and I'll get off:
I'll bow. I'll grit my teeth like now,
And race through night and streets alone,
Until all I see is an open wound,
Until my pain sings the song of a dog
That in the city's nightly noise
Has lost its master and its god.

A Strange Thought

A strange thought: I look at my pen
And it seems to me, as I watch my hand write,
That I died last night.

Died right here, in the house with the landlady,
And only this pen is left of me,
A pen and a poem-scrap.

The poem was not finished, perhaps,
And it lies on the front steps
Where the wind carried it.

And maybe you'll come by tomorrow
And will step on my poem
And wait for my greeting to come from the window.

And you'll get angry and maybe you'll swear
And leave me a note on the door
Saying you won't come anymore.

VI

גיי וועש וואַשן, מיידל, גיי ניאַנטשען אַ קינד,
פֿאַרדינג זיך צו פֿירן אַ מענטש וואָס איז בלינד,
פֿאַרדינג זיך פֿאַר וואַסער מיט טרוקענעם ברויט,
תכריכים גיי נייען פֿאַר דעם וואָס איז טויט,
זיי אָרעם, זיי עלנט אַזוי ווי אַ שטיין, —
נאָר היט זיך און גאָט זאָל דיך היטן
אויף לאַדושקאַס וועגן צו גיין.

און מוז מען צונויפֿמאַכן דיר דעם נדן,
און גיט מען דערפֿאַר דיר אַ קאַליקע מאַן,
האָב חתונה, מיידל, בויג וויליק דיין קאָפּ,
און שניידט מען די האָר דיינע שיינע דיר אָפּ,
ביז בלוט בייס די ליפּן און וויין, מיידל, וויין, —
נאָר היט זיך און גאָט זאָל דיך היטן
אויף לאַדושקאַס וועגן צו גיין.

און האָסטו חלילה ביי גאָט ניט קיין ווערט,
און האָט ער קיין זיווג פֿאַר דיר ניט באַשערט, —
איז בעסער — פֿאַרשילט דיינע יאָר דיינע טעג,
און שלעפּ זיך אַ בעטלערקע איבערן וועג,
און בלייב ביז אין צאָפּ ביז אין גרויען אַליין, —
נאָר היט זיך און גאָט זאָל דיך היטן
אויף לאַדושקאַס וועגן צו גיין.

from *Ladushka*

VI

Go wash clothes, girl, nurse a child,
Take a job leading a blind man,
Take a job for water and dry bread,
Go sew shrouds for the dead,
Be poor, be lonely as a stone,
Just keep yourself, and God will keep you
From going Ladushka's way.

And a dowry will be collected for you,
And you will be married to a cripple.
Get married, girl, bow your head willingly
For the shearing of your beautiful hair.
Bite your lips till they bleed, and cry, girl, cry,
Just keep yourself and God will keep you
From going Ladushka's way.

And if (God forbid) you aren't worthy,
And God did not make you a match,
It is better: curse your years, your days,
And drag yourself along the road, a beggar woman;
And if you stay single until your braid turns gray,
Just keep yourself, and God will keep you
From going Ladushka's way.

אַלבום-פּראַזן

איך האָב אײַך בײַדן ליב, און לײַד אַלײן דערפֿון.
בײַ דיר אין דײַנע אויגן וואוינט די מאָרגן-זון.
די מאָרגן-זון איז שײַן אויף שפּיצן בערג און וועלדער,
אויף טורעמס פֿון דער שטאָט און אויך אויף זאַנגען-פֿעלדער.
דעם שניטערס סערפּ, דעם קבֿרס בלומען-קראַנץ, בײַם וועג דער שטײן,
באַלויכטן פֿון דער מאָרגן-זון, ווערט אַלצדינג, אַלצדינג שײן.
קוים אָבער עפֿנט אויף דײַן שוועסטער אירע אויגן,
דאַן מוז איך שווײַגנדיק מײַן קאָפּ אַרונטערבויגן.
דײַן שוועסטערס בליק אין האַרבסט איז טיפֿע נאַכט און וויי.
דײַן שוועסטערס אויגן לײַכטן, ווי מלאכים צוויי
וואָס בעטן גאָט ער זאָל דער וועלט די זינד פֿאַרגעבן.
און ווען דײַן שוועסטער רעדט צו מיר, דאַן ווײנט דאָס לעבן.
אַרומגעהילט פֿון וואָלקנס גרויע ליגט עס ווײנענדיק —
פֿאַראײנזאַמט ווײנענדיק, בײַם טויער פֿונעם בלינדן גליק,
און מיט דעם לעבן ווײנט די ליבע, און דער טרויער,
אויף זיבן ריגלען אָבער איז פֿאַרמאַכט דער טויער —
אויף זיבן גאָלדנע ריגלען איז פֿאַרמאַכט דער טויער.

בײַם ווײַן

און ווײַל דער צימבל שפּילט און ווײַל דער רויטער ווײַן
דערציילט אַ מעשהלע דיר ביז אין האַרץ אַרײַן;
און ווײַל אין מעשהלע איז דאָ אַ פּאַלאַץ אויך
ווײַט ערגעץ אויף אַ באַרג אין אָונט-שײַן הויך-הויך;
און ווײַל דאָרט גייט אַרום אין קליידער גאָלד און בלוי,
פּרינצעסין גינגעלי, יאָהאַמאַס קליינע פֿרוי, —
דעריבער דאַכט זיך דיר, אַז דאָרט, נאָר דאָרט איז שײן.
און גלײַך צו גינגעלין, זעסטו זיך שוין אַלײן
אַרומגיין אויך אין אַזאַ קלייד מיט גאָלד באַנייט.
און ווי בײַם שפּיגל-גלאָז באַטראַכסטו זיך מיט פֿרייד
און טראַכסט אַז צו דעם שײנעם קלייד באַדאַרפֿסטו נאָר
אַ קאַם אַ גאָלדענעם צו צירן דײַנע האָר.
און אַז עס פֿעלט דיר בלויז דער פֿעכער און די רויז

Album Phrases

I love you both, and suffer from it.
The morning sun dwells in your eyes,
Beautiful on the tips of mountains and woods,
On city towers and wheat fields.
The reaper's sickle, the grave-wreath, the stone in the road
Grow lovely when lit up by the morning sun.
But when your sister opens her eyes,
I must bow my head silently.
Your sister's gaze in autumn is deep night and pain.
Her eyes shine like two angels
Asking God to forgive the world its sins.
And when your sister speaks to me, Life cries.
Wrapped in gray clouds, it lies weeping,
Abandoned at the gate of Blind Luck.
And Love and Sorrow weep with Life,
But the gate is closed with seven latches,
Closed with seven golden latches.

With Wine

And since the cymbals sound and since red wine
Tells a little story that touches home;
And since there is a palace in the story,
A palace on a distant mountain in the sunset;
And since the Princess Gingeli, Yohama's little wife,
Walks there in gowns of blue and gold—
Therefore it seems to you that there is no beauty elsewhere.
And you can see yourself, just like Gingeli,
Walking there in gowns embroidered with gold.
And at the mirror you examine yourself in delight
And think that with this lovely gown you need only
A golden comb to ornament your hair,
And that you are lacking only the fan and the rose

זאָלסט אויסזען אַזוי שיין ווי גינגעלי זעט אויס.
איך אָבער, וואָס איך זע די שיינקייט, וואָס פאַרגייט,
און הער מיין בלוט אין מיר, וואָס גאַרט נאָך אייביקייט;
איך זע די צירונג ניט, וואָס דו מאָלסט איצטער אויס.
איך זע יאַהאַמאַס קינד ביי גינגעלין אין שויס.
און שיין איז גינגעלי — די מאַמע, וואָס באַטראַכט
דאָס יונגע לעבן אירס וואָס ליגט אין שויס און לאַכט,
און שיין, ווי זי, איז אויך יאַהאַמאַ אין זיין טרוים,
וואָס ליגט אויף מיילן ווייט אין שאָטן פון אַ בוים.
יאַהאַמאַ ליגט און טרוימט, און וואויל איז אים און גוט.
ער מאַכט אַ וואונד אין הארץ און שרייבט מיט אייגן בלוט.
ער שרייבט צו גינגעלין: „געבענטשט זאָל זיין דער ווינט,
וואָס ברענגט מיין גרוס צו דער מאַמען פון מיין קינד”.
און פייל פון בויגן פליט אין ווייסער וואָלקנשיף
דער גוטער ווינט, וואָס ברענגט צו גינגעלין זיין בריוו.
און גינגעלי וואָס וויינט — זי הויבט ניט אויף איר קול —
זי לייענט שטיל און וויינט און לייענט נאָכאַמאָל.
פאַלט טרער נאָך טרער אַראָפּ, וואָס בלענדט ווי זונענשיין.
שיינט, ווי די זון, דאָס קינד, וואָס גינגעלי וויגט איין.
דערגרייכט די ליכטיקייט יאַהאַמאַן אין זיין טרוים, —
איז ער אַליין אַ קינד אין שאָטן פון דעם בוים.

און דו אַ פרעמדנס פרוי

דו האָסט מיך ליב געהאַט און ביסט געווען מיין ווייב
און האָסט מיין קינד געטויט ביי זיך אין מוטער־לייב.
איצט וועל איך מיטן הארבסט נישט גיין אין שטאָט אריין,
נאָר דאָ פאַרבלייב איך שוין ביז ווייסער שניי וועט זיין.
און אַז ביים שיין פון שניי וועט פינצטער זיין אין שטוב,
וועל איך ביים ברעג פון ים מיר אויסגראָבן אַ גרוב,
און איידער נאָך די נאַכט וועט נידערן אַראָפּ,
וועל איך ביים ראַנד פון גרוב, ווי ביי אַ טויטנס קאָפּ,
אַנידערזעצן זיך מיט אויגן גרויס און ברייט,
ביז קומען וועל איך זען אויך דיך אין שניי פאַרווייט.
ווי זיך — דאָס אומגליק דיינס — געגליכן צו אַ שטיין.
און דעמאָלט וועט דיך אַנקלאָגן, ווי איך אַליין,
אין שניי פאַרווייט מיין קינד. מיין קינד דאָס נישט־געבוירענע.
מיין איינציק קינד, דאָס נישט־געבוירענע, פאַרלוירענע.

To be beautiful as Gingeli.
But I see mutable beauty
And hear my own blood crave eternity.
I do not see the jewelry you describe.
I see Yohama's child in Gingeli's womb,
And Gingeli, the beautiful mother, contemplates
The young life that lies laughing in her womb,
And beautiful as she, Yohama, in his dream,
Lies miles away in the shadow of a tree.
Yohama dreams, and everything is fine.
He pricks his heart and writes with his blood
To Gingeli: "Bless the breeze
That brings my greeting to the mother of my child."
And the good wind flies—an arrow from a bow—
In a ship of white clouds, carrying his letter to Gingeli.
And Gingeli cries. She does not raise her voice.
She reads it quietly, and reads it again.
Tear after tear falls, blinding as sunshine.
The child Gingeli rocks shines like the sun.
The brightness reaches Yohama in his dream:
He, himself, is a child in the shadow of a tree.

And You, Another's Woman

You loved me and you were my wife
And you killed my child in your maternal body.
Now in autumn I will not return to the city,
But I will stay here until the white snow falls.
And when, by snow light, the house darkens,
I will dig myself a grave at the sea's edge
And, just before nightfall,
I'll sit at the rim of the grave
As at a corpse's head, my eyes staring
Until I see you, too, covered by snow,
Your misfortune like a marking stone,
And then my child will accuse you, as I do,
My child covered by snow. My unborn child,
My only child, unborn, lost.

האַרבסט

דו, פרוי מיינע אין האַרבסט, וואָס רעדט דיין בליק צו מיר?
— אין טראַנטעס עמעצער, ער וועט זיך פֿאַר דיין טיר
אַראָפּלאָזן צום שוועל און אויף אַ פֿאַסטעך־פּליט
וועט ער דיר אויסשפּילן דיין שיינקייט, וואָס פֿאַרגייט.
און נאַקעט, ווי אין האַרבסט אַ בוים אין וויסטן פֿעלד,
וועסטו זיך זען אַליין אין מיטן פֿון דער וועלט.
און זוכן וועט דאָס ווייב אין דיר דיין זינד — דאָס קינד,
וואָס האָרף אין האַרבסט דיינעם דיך אויסלייזן פֿון זינד,
און גיין וועסטו צום ים דעם קאָפּ אַראָפּגעווענדט,
דעם קאָפּ אַראָפּגעווענדט מיט אָפּגעלאָזטע הענט,
און וויינען, ווי אַ מענטש, וועט אויף דיין לייב דאָס קלייד
וואָס האָט דיין ליכטיקייט אין זומער־ווינט צעווייט,
און קיינער וועט נישט זיין דיך צו באַדויערן,
און קיינער וועט נישט זיין מיט דיר צו טרויערן.

דערצייל

קום זיי מיר אַ מאַמע. דערציילט האָט מיין מאַמע
אַ מעשהלע פֿון אַ פֿאַפּירענער בריק —
דערצייל עס מיר אויך, און דערצייל פֿון די פֿייגל,
וואָס קומען אין זומער־צייט ווידער צוריק.

פֿאַרטרייב פֿון מיין בעט די חלומות די וויסטע,
וואָס קומען צו מיר אַלע נאַכט, אַלע נאַכט.
דערצייל פֿון מלאכים, וואָס זענען געקומען
און האָבן מיר גאָלדענע שטערן געבראַכט.

און קלינגט מען אין קלויסטער — פֿאַרהאַלט מיר די אויערן,
פֿאַרהאַלט זיי, און זאָג, אַז דער שטאָט־זייגער קלינגט.
און וויינט אין די לאָדן דער ווינט, זאָלסטו זאָגן —
עס זיצט ביי אַ ספֿר דער טאַטע און זינגט...

Autumn

And you, my woman in autumn, what does your gaze say?
—Someone in tatters squats at your doorstep
And, on a shepherd's flute, plays your beauty passing away.
And naked as a tree in autumn's field,
You see yourself alone in the midst of the world.
And the wife in you seeks your sin—the child
Who should deliver you from sin in your autumn.
And you go down to the sea, with your head bowed,
Your head bowed and your hands relinquished,
And the dress weeps on your body like a person
Winnowing your brightness in the summer wind,
And no one will pity you,
And no one will mourn you.

Tell

Come, be a mother to me. My mother told
A story of a paper bridge—
Tell it to me, too, and tell of the birds
Returning in summer.

Drive from my bed the bad dreams
That come every night.
Tell me about the angels who came
And brought me golden stars.

And if church bells peal, cover my ears,
Cover them and say that the town clock strikes.
And if the wind wails in the shutters, say
That father sits at a holy book and sings.

דערצייל, אַז ס'איז וואַרעמער זומער אין דרויסן,
און זינגענדיק גייען די גוים פון פעלד.
דערצייל — אפשר וועט דאָס מיין קומער פאַרשטילן
און ליכטיקער, ליכטיקער מאַכן מיין וועלט.

כי-כי

קומט צופליען דאָס קאַרליקל כי-כי
אויף דעם מאָרגן-פויגל פלאַטער-פלי.
הערט דאָס קאַרליקל דעם דיכטער וויינען,
ברענגט ער אים אַ בריוועלע צו ליי'נען.

איז דאָס בריוועלע פון זונען-לאַנד,
וואָס די קעניגין מיט אייג'נער האַנט
האָט דאָס צו דעם דיכטער אָנגעשריבן,
און זי שיקט אים דאָרט גרוסן זיבן.

רעדט פון שלאָף דער דיכטער פון זיין גליק,
און ער שרייבט אַ בריוועלע צוריק,
און ער הייסט מען זאָל דאָס איבערגעבן
צו דער קעניגין, זיין טייער לעבן.

גיט אַ וואונק דאָס קאַרליקל כי-כי
צו דעם מאָרגן-פויגל פלאַטער-פלי,
פליען ביידע גיך זיך צו פאַרבאָרגן
אין אַ וואָלקנדל פון רויטן מאָרגן.

Tell that it is warm summer outdoors,
And that, singing, the peasants walk from the fields.
Tell. For telling may yet still
My sorrow—bring some brightness to my world.

Hee-Hee

The midget Hee-Hee goes flying
On the morning bird called Flutterfly.
The midget hears the poet crying,
So he brings him a letter to read.

The letter is from Sun-Land,
And the Queen with her own hand
Copied it down for the poet
And sent him seven greetings.

The poet mumbles in his sleep about his luck,
And he writes a little letter back,
And he orders it to be delivered
To the Queen, his dearly beloved.

The midget Hee-Hee winks his eye
To the morning bird Flutterfly;
Their flight is quick. Soon they are hidden
In a little cloud of the red morning.

IV אָוונט

IV EVENING

און דו ביסט טויט. און נאָך האָט דיך נישט צוגעדעקט די ערד
און איבער טויזנט גאַסן ווייט ווי אַ גאַלאָפּ פון פערד
צעטראָגט זיך דאָס געלויף פון יונג און אַלט וואָס איילן זיך
און באַטן אַן צום קויף דאָס בלאַט וואו טעלעגראַפיש-גיך
אַנטפּלעקט מען אונדז מיט מאַרקגעשריי, אַז ס'קלאַפּט ניט מער דיין האַרץ,
און ווי אַ גרויסער פוץ-רעקלאַם איז איינגעפּאַסט אין שוואַרץ
דיין גרויער קאָפּ. און מיר, די גרויסע לייט, וואָס דאַרפן שטום
און טיף-געבוגן זיין — מיר רינגלען שוין דיין גייסט אַרום,
ווי מוידן אין אַ שענק ביינאַכט אַ שיכורן מאַגנאַט
און טרערן האָבן מיר און רייד, ווי פּערל רונד און גלאַט,
ווי רענדלעך גרוים און ווער פון אונדז עס האָט אין מויל אַ צונג
קלאַפּט אוים אַ ריטמיש וויי-געזאַנג ווי ס'קלאַפּט אַ שוסטער-יונג
אַ גראָבן טשוואַק אַריין אין קנאַפּל פון אַן אַלטן שוך.
און יעדער קלאַנג איז פול מיט קויטיקייט און שוויים-גערוך,
ווי נעגער-פלייש און אַלץ איז סחורה בלויז — צום שוואַרצן יאַר! —
מיר האַנדלען דאָך מיט אַלץ, מיט אַלץ מיט וואָס עס לאָזט זיך נאַר —
מיט תורות ווי מיט חזיר-האָר, מיט מענטש און טייפלם-קויט
איין וואונדער נאָר פאַרוואָס מיר האָבן נאָך ביז היינט, ביים טויט,
ניט אויסגענאַרט זיין מאַרד-געצייג פאַר שנאַפּס און קופּער-געלט.
מיר זענען דאָך דאָס פלייש און בלוט פון יענעם גרויסן העלד,
וואָס האָט אַן ערשט-געבורט געקויפט פאַר איין טאָפּ לינזן בלויז
און האָט דאָך איינער אויך פון אונדז, אַ גאָט אין גאַנצער גרויס —
מישטיינס געזאָגט — פאַרקויפט דער וועלט פאַר דרייסיק שקלים לוין;
און אויב דאָס אַלץ איז וואָר — פאַרוואָס-זשע זאָלן מיר ניט שוין
אויך האַנדלען היינט מיט דיר, דו שטויב פון אונדזער העכסטן שטאָלץ,
וואָס ביסטו דען געוועזן פאַר אונדז? — אַ לעצטע גלאָוויניע האָלץ,
וואָס ברענט אין סטעפּ ביינאַכט אין רינג פון אַ ציגיינער-שטאַם;
אַ זעגל פון אַ שיף, וואָס ראַנגלט זיך מיטווינט און ים;
אַ לעצטער בוים פון אַ פאַרכישופט-וואָגלענדיקן וואַלד,
וואו דער בליץ האָט דעמבעס-ריזן טויזנט-יאָריק אַלט,
פון זיי'רע וואָרצלען אָפּגעהאַקט. און איצט? וואָס ביסטו איצט? —
אַ מענטש אויף קאַלטער ערד, באַוועגלאָז שטום, ווי אויסגעשניצט
פון מאַרמאָר-שטיין אין שיין פון טויטן-ליכט. אַן אַנהויב-סוף;
אַ בילד — אַ רגע זעאונג בלויז פון יענעם לאַנגן שלאָף,
וואָס נעמט ביי אונדז דעם טאָג, די נאַכט, דאָס ביסל לעבן צו
מיט גאָר דער שיינקייט פון דער גאַנצער וועלט. איז דאָס די רו?
איז דאָס דער טרוים פון אייביקייט אויף אונדזער טונקלען גאַנג?

Isaac Leybush Peretz

And you are dead. The earth has not yet covered you,
And through a thousand distant streets like racing hooves
The news spreads. Headlines, quick as telegrams,
Cry out at us that your heart doesn't beat.
And, like a garish advertisement, your gray head
Is framed in black. And we, the bigshots who should now be dumb
And prostrate, circle around your spirit
Like husky girls in a saloon around a rich old drunk.
And we have tears and speech like round smooth pearls,
Like big gold coins. And everyone who has a tongue
Drums out a rhythmic dirge like a cobbler boy
Pounding a thick nail in an old shoe's heel.
And every sound is full of filth and sweat,
Like a slave's skin, and everything is merchandise—
We deal in all that can be bought and sold—
Torahs and hog-bristles, men and devil's dirt.
It's amazing that we haven't cheated Death
Of his death-tools with copper coins and schnapps!
We are the flesh and blood of that great hero, Jacob,
Who bought his brother's birthright for a pot of lentils;
And one of us, a great god (so-called),
Sold the world for thirty shekels pay;
And if all this is fact, why shouldn't we
Deal in you today? You, dust of our pride,
What, then, were you to us? A last charred log at night
Smoldering on the steppe in a gypsy tribe's camp;
A ship's sail struggling with the wind and sea;
The last tree in an enchanted, mazy wood
Where lightning cut down at the roots
Oak giants, thousands of years old. What are you now?
A man on the cold earth, as still as if carved from
Marble in the shine of a death candle. A beginning-end;
An image—a moment's vision of that long sleep
Depriving us of day and night, that bit of life
Containing all the beauty of the world. Can this be peace?
Is this the hope of our dark way?

פאַרוואָס זשע בוינגט דער מענטש זיך טיף ביים בלויזן טויט-געדאַנק
און וויינט פאַרוויטיקט, ווי אַ קינד, אין טונקלער נאַכט אַליין?
ווער פירט די וועלט? ווער הייסט דעם פרילינג אויפבליען און פאַרגיין?
ווער טרייבט אין טעג פון האַרבסט דעם ווינט דורך וויסטעניש און וואַלד?
און ווען דער אָדלער פליט ניט מער און ווען דער אָדלער פאַלט, —
פאַרוואָס מוז זיין די ראָב וואָס רייסט די אויגן אים אַרויס?
פאַרוואָס? פאַרוואָס מוז זיין די האַנט וואָס שטרעקט, אָן שרעק, זיך אויס
צום טויטן לייב? צי וויינט דען ניט אין אָפּגעשונדן פעל
די זעל פון אים — פון טויטן לייב די קעניגלעכע זעל?
פאַרגיב פאַרוואָס איך פרעג אַזוי. זיי מוחל מיר. פאַרגיב.
ווי קען איך אַנדערש דען? איך האָב דאָך אויך דאָס לעבן ליב
און אויגן האָב איך אויך, און אָפּענע, און איך בין בלינד.
נאָכאַלעמען בין איך דאָך אויך אַ פּראָסטן קרעמערס קינד.
און ווי עס בענקט נאָך רעגנגאַנג אַ שטיק פאַרטריקנטע ערד,
האָב איך זיך אין דיין ליכטיקייט צו לייטערן באַגערט.
און ווי עס ציטערן נאָך ברויט ביים אָרעמאַן די הענט,
באַגער איך איצט דיין גייסט צו זען וואָס האָט זיך אָפּגעווענדט
און וואָס איך זע איז בלויז די נאַכט אין דיר, דעם טויט אין דיר,
די וויסטעניש, וואָס וועט אָן דיר נאָך וויסטער זיין אין מיר.
געבענטשט איז דער פאַר וועמען ס'איז אַ יענע וועלט נאָך דאָ.
פאַר אים איז דאָ אַ טרייסט. פאַר מיר איז גאָרנישט, גאָרנישטאָ.
פאַר מיר וועט נאָך אַ טויטן-ליכט פאַרלירן זיך אין רויך,
פאַר מיר וועט נאָך אַ קבר-שטיין אין דר'ערד פאַרזינקען אויך.
און וויטער וועל איך זען פאַר זיך דאָס רעטעניש — דעם טויט
און בלאַנקען וועט זיין סערף פאַר מיר אַזוי ווי פייער רויט,
אַזוי ווי פייער רויט,
אַזוי ווי גאָלד,
אַזוי ווי בלוט.

Why, then, does man stoop deeply at the thought of death?
Why does he wail like a small child alone in the dark night?
Who guides the world? Who calls the spring to blossom and depart?
Who drives the wind through waste and wood in autumn days?
And when the eagle fails in flight and falls,
Why must the raven gouge its eyes?
Why must a hand stretch out fearlessly
To the dead lion? Doesn't the lion's soul cry out
From its flayed hide—the kingly soul from the carcass?
Forgive me for my asking. Pardon me. Forgive.
But what else can I do? I, too, love life,
And I have eyes, open eyes, and I am blind.
But I am just a common merchant's child.
And like the thirsty earth that longs for coming rain,
I tried to purify my life within your light.
And like the poor man's hand that trembles after bread,
Vainly I hope to see your spirit, which has turned away.
But I see only night in you and death in you,
And desolation, which without you is barrenness in me.
He who believes in an afterworld is blessed.
He has some solace. I have nothing, nothing at all.
I'll have only a candle lost in smoke.
I'll have a gravestone sinking in the earth.
And then I'll see the riddle that is death.
Its sickle glitters near me like red fire,
Like red fire,
Like gold,
Like blood.

נאָך דער שבעה

ווי לאַנג וועסטו זיצן, מיין שוועסטער,
מיט אויגן צום באַלקן געקערט
און זיך וויגן אַזוי ווי דיין שאָטן?
דיין שאָטן און דו —
עס זיצן צוויי אַלטע ציגיינער
אויף בערגלעך פון שניי אין דער נאַכט
און וורן פּאַמעלעך פאַרגליווערט.

זיבן טעג — זיבן יאָר
ביי וואַסער און ברויט אויף דער ערד.
זיבן יאָר האָסטו, שוועסטער,
דיין לאָקיגן קאָפּ נישט געקאַמט.
איצט הענגען די לאָקן אַריבער דיין פּנים,
ווי איבערגעריסענע סטרונעס
אַריבער אַ גאָלדענער האַרף;
ווי איבערגעבראָכענע צווייגן
וואָס הענגען אַראָפּ
פון אַן איינזאַמען ביימל אין פעלד.
שטום ליגט די שרעק איבער דיר, —
שטום ווי די גרויקייט פון האַרבסט
איבער גראָזן און בלומען;
שטום ווי די שרעק אויף אַ טייך,
וואָס טראָגט אויף די וואַלן אַ שיפל אַרום
מיט אַ טויטן, וואָס ליגט דאָרט אַליין.
און ווער וואָלט אַצינד דיינע ליפּן דערקאַנט,
מיין שוועסטער?
צוויי קינדער וואָס זענען פאַרבלאָנדזשעט אין וואַלד
און ליגן דאָרט הענטלעך אין הענטלעך געפלאָכטן
און שטאַרבן.
צוויי בערגלעך מיט גראָז
אין די ווינקלען ביים טויער פון בית-עולם —
צוויי גרייז-גראָע וועכטער,
וואָס זיצן ביינאַכט ביי אַ טויטן.
וואָס קוקסטו מיך אָן אַזוי פרעמד,
מיין שוועסטער?
וואָס קוקסטו מיך אָן אַזוי קאַלט,

After Mourning

How long will you sit, my sister,
Your eyes to the ceiling,
And rock yourself like your shadow?
You and your shadow—
Two old gypsies sit
On snow mounds in the night,
Slowly freezing.
Seven days, seven years:
Bread and water on the floor.
For seven years, my sister,
You haven't combed your wavy hair.
Now the strands hang over your face
Like torn strings
Over a golden harp,
Like broken branches of
The one tree in a field.
Fear lies over you
Dumb as fall's grayness
Over grasses and flowers,
Dumb as the fear on a river,
Waves carrying
A boat with its corpse.
And who knows your lips now,
My sister?
Two children lost in the woods
Lie there, hand braided in hand,
And die,
Two small grassy mounds
In the corner by the graveyard gate,
Two gray, gray watchmen
Sitting all night by a corpse.
Why do you stare at me so strangely,
My sister?
Why do you stare at me so coldly,

מיין שוועסטער?
דערקאָנסט מיך שוין מער ניט.
דערקאָנסט מיך שוין מער ניט.

מיין אומרו פון אַ וואָלף

מיין אומרו פון אַ וואָלף און פון אַ בער מיין רו,
די ווילדקייט שרייט אין מיר, די לאַנגווייל הערט זיך צו.
איך בין ניט וואָס איך טראַכט, איך בין ניט וואָס איך וויל,
איך בין דער צויבערער און בין דאָס צויבער־שפּיל.
איך בין אַ רעטעניש וואָס מאַטערט זיך אַליין,
אַ פלינקער ווי דער ווינט, געבונדן צו אַ שטיין.
איך בין די זומער־זון, איך בין די ווינטער־קעלט,
איך בין דער רייכער פּראַנט וואָס וואַרפט מיט גאָלדן געלט.
איך בין דער יונג וואָס שפּאַנט, דאָס היטל אויף אַ זייט,
און גנבעט פייפנדיק ביי זיך אַליין די צייט.
איך בין דער פידל אויך דאָס פּייקל און דער באַס
פון אַלטע קלעזמער דריי וואָס שפּילן אויפן גאַס.
איך בין דער קינדער־טאַנץ, און ביים לבנה־שיין
בין איך דער נאַר וואָס בענקט אין בלויען לאַנד אַריין.
און אַז איך גיי פאַרביי אַן איינגעפאַלן הויז,
בין איך די פּוסטקייט אויך וואָס קוקט פון דאָרט אַרויס.
אַצינד בין איך די שרעק אין דרויסן פאַר מיין טיר,
די גרוב די אָפענע וואָס וואַרט אין פעלד אויף מיר.
אַצינד בין איך אַ ליכט, אַ יאָרצייט־ליכט וואָס ברענט,
אַן איבריק בילד ,אַן אַלטס, אויף גרוי־פאַרשטויבטע ווענט.
אַצינד בין איך דאָס האַרץ — דער אומעט אין אַ בליק
וואָס האָט געבענקט נאָך מיר מיט הונדערט יאָר צוריק.
אַצינד בין איך די נאַכט וואָס הייסט מיך ווערן מיד,
דער שווערער נאַכט־טומאַן, דאָס שטילע אָוונט־ליד.
דער שטערן איבער מיר דאָרט אויבן אין דער הויך,
דאָס רוישן פון אַ בוים, אַ גלאָקן־קלאַנג, אַ רויך. —

My sister?
You no longer know me.
You do not know me.

My Restlessness Is Like a Wolf's

My restlessness is like a wolf's, my rest is like a bear's,
Wildness shrieks in me, and boredom listens.
I am not what I want, I am not what I think,
I am the magician and I'm the magic trick.
I am a riddle that tortures itself,
I am swift as the wind, bound to a stone.
I am the summer sun, I am the winter cold,
I am the rich dandy, spendthrift with gold.
I am the rascal, cap cocked awry,
Who whistles and steals time to make the days pass by.
I am the fiddle, the drum, and the bass
Of three old musicians who play in the street.
I am the children's dance, and by moonlight
I am the fool longing to enter the blue land.
And, as I walk past a tumbledown house,
I am the emptiness gazing out.
Now I am the fear outside my own door,
The open grave waiting for me in the field.
Now I am a candle lit for a dead soul,
A useless old picture on dusty gray walls.
Now I am the sentiment—the sadness in a glance
That longed for me a century in advance.
Now I am the night that commands me to grow tired,
The thick night fog, the quiet evening song.
The star above my head, high up in the dark,
The rustle of a tree, a bell's chime, smoke.

גלאַט־אַזוי

האָט משה לייב זיך אַנידערגעשטעלט
אין מיטן דער נאַכט, צו דערטראַכטן די וועלט.
הערט ער צום אייגענעם טראַכטן זיך איין —
שעפּטשעט אים עמעץ אין אויער אַריין,
אַז אַלצדינג איז גלייך און אַז אַלצדינג איז קרום
און ס׳דרייט זיך די וועלט אַרום אַלצדינג אַרום.
צופּט משה לייב מיט די נעגל אַ שטרוי
און שמייכלט.
פאַרוואָס ? —
גלאַט אַזוי.

צופּט ער אַזוי זיך די שטרוי אין דער נאַכט,
טוט זיך אים נאָכאַמאָל עפּעס אַ טראַכט.
טראַכט זיך אים — הערט ער זיך נאָכאַמאָל איין —
שעפּטשעט אים עמעץ אין אויער אַריין,
אַז גאָרנישט איז גלייך און אַז גאָרנישט איז קרום
און ס׳דרייט זיך די וועלט אַרום גאָרנישט אַרום.
צופּט משה לייב מיט די נעגל די שטרוי
און שמייכלט.
פאַרוואָס ? —
גלאַט־אַזוי.

O

זאָגט צו מיר דער גאַנג פון לעבן : גריבל נישט — ס׳אַן אַלטע מעשה !
האָר פון קינדער שוואַרצע, בלאָנדע; האָר פון זקנים זיינען ווייסע.
און דער פויגל קוים געבוירן פּרואווט שוין אויס די קליינע פליגל
און אַ פינגערל ביים מיילכל, שטייט דאָס מיידל פאַרן שפּיגל
און זיין מעלזאַק טראָגט דער אייזל, ווי עס טראָגט זיין קרוין דער קעניג.
אַ־ן אויך דו, מיין שטערנזעער, ביסט מיר אייביק אונטערטעניק.
ביים שפּאַקטיוו, די קני געבויגן, שטייסטו און ווילסט מיד נישט ווערן
און אין ציפערן פאַרבייטסטו נאָנטקייט, ווייטקייט, זון און שטערן,
כאָטש נאָך דיר ווערט פון דיין חשבון אויך די זעלבע נול פאַרבלייבן
וואָס מיט אַט־אַזאַ מין דריידל — 0 — קאָן דאָס יעדער נאַר פאַרשרייבן.

For No Good Reason

Moyshe-Leyb comes to a halt
In the middle of the night to think up the world.
He listens to his own thoughts—
Someone whispers in his ear
That everything is straight and everything is crooked,
And the world spins around everything.
Moyshe-Leyb plucks a straw with his nails
And smiles.
Why?
For no good reason.

He plucks the straw in the night,
And again, up pops a thought.
He listens again—
Someone whispers in his ear
That nothing is straight and nothing is crooked,
That the world spins around nothing.
Moyshe-Leyb plucks a straw with his nails
And smiles.
Why?
For no good reason.

Zero

Life tells me: Don't dig up that old story!
Children have blond hair and black, old folks' hair is white.
The bird just hatched tries out its little wings,
A little finger in her mouth, the girl stands before the mirror,
And the donkey bears its floursack like the king his crown.
And you, too, my stargazer, you will always serve me:
Knees bent, you stoop at the spyglass, untiring.
And you muddle near and far, sun and stars in numbers;
But when you're gone, of all your calculations
Only this zero will remain, which
With a twirl of the pen—0—any fool can write.

שפּיל איך זיך

איז דער מענטש אַ נאַר אַ בלינדער, —
בין איך מיר אַ קינד מיט קינדער,
היים איך מיר אַ וועגל קויפן,
אויף פיר רעדער זאָל עס לויפן,
וועל איך אויפן וועגל פאָרן
מיטן טאַטן קיין פּאַמאַרן,
וועט דער טאַטע האַנדלען, וואַנדלען, —
קויפן ראָזשינקעס מיט מאַנדלען.
וועט ער קויפן, וועל איך עסן,
און דעם מענטש דעם נאַר פאַרגעסן.

בענקט זיך מיר צו זיין אַ טאַטע —
מאַך איך קינדער מיר פון וואַטע,
מייטקעס מאַך איך זיי פון סאַמעט
און איך דינג זיי אַ מלמד.
גיב איך אים שכר-לימוד קנעפּלעך, —
לויבט ער זיי'רע גוטע קעפּלעך.
הייסט אַ קינד זיך שפּילכלעך קויפן, —
קויף איך אים אַ גאַנצן הויפן;
וויינט אַ קינד עס וויל אַ מאַמען, —
וויין איך מיטן קינד צוזאַמען.

צו דער לבנה

נעם מיך אין דיין הימל, מוטער,
טייל מיט מיר דיין טרויער.
לאָז מיך דיר דיין שלעפּ-קלייד טראָגן
דורך דער נאַכט דער בלויער.

גאָר די שענסטע ליבעס-בריוולעך
קען איך אויסוויינען.
וועל איך דיר די בריוולעך שרייבן
צו דעם זונען-קעניג.

I Play

If this blind fool is man,
Then I am a child among children.
I ask for a carriage
That runs on four wheels
And carries father and son
Far away to Pomoren,
Where father will bargain,
Buying raisins and almonds.
What he buys, I will eat,
And man the fool I will forget.

Since I long to be a father,
I make children out of cotton;
I make them velvet underwear
And find them a tutor for hire.
I pay tuition fees in buttons
And he praises their little noggins.
When a child asks me for toys,
I buy a yardful of things for boys.
When a child cries for a mother,
He and I both cry together.

To the Moon

Mother, take me to your heaven,
Share your sorrow with me.
Let me carry your gown's long train
Through the night-blue sky.

I have studied love letters,
Learned the prettiest by heart.
I'll copy down your love letters
To the sun king's heart.

װעט דער זונען־קעניג קומען
אין זײַן פֿײַער־װאָגן,
און אַלײן זײַן האַרץ דאָס שטאָלצע
ברענגען דיר צוטראָגן.

װעסטו פֿאַר דײַן לאַנגן װאַרטן
אױף די קני אים צװינגען,
װעט מיט אים די װעלט די גאַנצע
פֿון דײַן טרױער זינגען.

אין מיטן דער נאַכט

װער האָט מיך אױסגעטראַכט
אין אַט דער פֿרעמדער װעלט?
מיר דאַכט זיך אױס — איך הױדע זיך בײַם פֿאַרקאַן פֿון אַ פֿעלד,
בײַם פֿאַרקאַן פֿון אַ קבֿרים־פֿעלד אין אַ לבֿנה־נאַכט,
און איבער ימים װײַט און פֿון אַן אַלטער קלױז
דערשײַנט צו מיר אַ ליכט װאָס גײט פֿאַמעלעך אױס;
און איבער ימים װײַט דערגײט צו מיר אַ ליד,
װאָס האָט װי פֿײַער זיך אין מיר אַרײַנגעגליט,
װען איך בין װאַנדערנדיק בײַם רײַן
פֿאַרבײַ געגאַנגען.
אַ ברװינער שיפֿעריונג מיט בלאָנדע האָר אין װינט
האָט מיט זײַן װײַב און קינד
געשיפֿט זיך זינגענדיק אין אָװנט־שײַן,
געשיפֿט זיך זינגענדיק צום טאַקט פֿון צימבל־קלאַנגען
און איך בין װאַנדערנדיק פֿאַרבײַ געגאַנגען.

Then the sun king will arrive
In his chariot of fire,
And he himself will offer you
His proud heart in desire.

Because he made you wait so long,
You'll make him kneel before you;
The whole world will then join in song,
Singing of your sorrow.

In the Middle of the Night

Who invented me
In this strange world?
It seems to me—I swing on the fence of a yard,
On the fence of a graveyard in a moon night,
And from far across the seas, from an old synagogue
Shines a light that slowly dies out;
And from across the seas a poem comes
Burning into me like fire:
When I went wandering
By the Rhine,
A brown sailor with windblown blond hair
And his wife and child
Were boating in the evening light,
Were boating, singing to cymbals
And I went wandering past.

הילדאַ, שרייבּ צו מיר

אין מיטן האַלבּער נאַכט האָט אויפגעשיינט אַ שטראַל
און דאָ האָט זיך מיין שטוב פאַרוואַנדלט אין אַ זאַל.
צוערשט ווי איינגעהילט אין נעפל-בלויען רויך
דערנאָך אַ ליכטיקייט דורך פענצטער שמאָל און הויך,
און גלייך די ליכטיקייט וואָלט כישופדיק געבלענדט,
האָט זיך געמאָלן מיר דיין בּילד אויף אַלע ווענט,
און איך האָבּ קיינמאָל דיך אַזוי נאָך ניט געזען —
אויף יעדן בּילד בּיסטו אַן אַנדערער געווען.

— אַ ים. אַ בּלויע נאַכט. אַ שטילקייט ווייט אַרום.
און אין אַ וויסן קלייד אַ מענטש, וואָס וואַנדלט אום
מיט ווייט-צעשפּרייטע הענט אין מיטן ים אַליין,
און אויף זיין פּנים רוט אַ פרידן, טיף און ריין.
זיין שטראַלן-קרוין בּאַלויכט דעם ים אין ווייטער ווייט.
און ער אַליין, דער מענטש — אַ טרוים פון הייליקייט,
אַ טרוים פון פרידלעכער און הייליק-טיפער רו.
איך שליס די אויגן צו — די טרוימגעשטאַלט בּיסטו.

— אַ קריג. און רייטער פליען, די שווערדן אין דער הויך,
און שטראַלן מישן זיך מיט וואָלקנס שטויבּ און רויך,
און אויבן, אויף אַ בּאַרג, אַ רייטער אויף זיין פערד,
וואָס שטרעקט, ווי אייזן קאַלט, צום טאָל אַראָפּ זיין שווערד
און קאָפּ און שפּיז פאַראויס, צעלאָזט זיך אין גאַלאָפּ
זיין לעצטע רייטער-גאַרד פון בּאַרג אין טאָל אַראָפּ.
און ער אַליין, אַ טרוים פון אייזן-קאַלטער רו.
איך שליס די אויגן צו — די טרוימגעשטאַלט בּיסטו.

אין מערבֿ-זייט אַ בּאַרג מיט שפּיצן גאָלד און בּלוט.
אַן אויסגעהאַקטער וואַלד. און בּיי אַ וואָרצל רוט
אַ בּרוינער פּריירי-זון. קיין מענטש, חוץ אים, אַרום —
אַליין אין וויטן סטעפּ און אָפּגעלאָזט און שטום
מיט אויגן בּרייט און גרויס צום רויטן מערבֿ-זוים
די זון פאַרגייט. די שטילקייט שרייט און ער — אַ טרוים
פון מידער בּענקעניש און האָפנונגסלאָזער רו.
איך שליס די אויגן צו — די טרוימגעשטאַלט בּיסטו.

Hilda, Write to Me

In the middle of the night a ray flared.
It changed my house into a spacious hall.
Wrapped, at first, in fog-blue smoke,
A brightness shot through narrow, high windows;
As if that brightness dazzled, magical,
It formed your image on each wall;
I had never seen you this way before—
In every image you were another.

A sea. Blue night. Wide quiet.
And a figure in a white robe wandering
Alone across the water, his hands spread
And a deep, pure peace across his face.
His crown of rays illuminates the sea,
And he, the figure, is a dream of holiness.
A dream of peace and sacred rest.
I close my eyes—you are the dream figure.

A war. Horsemen fly, swords held high.
Rays mix with clouds of dust and smoke,
And high on a mountain, a rider on his horse
Stretches his iron sword down to the valley
And, head and spear leading, he charges at a gallop
On his last assault down the mountain.
And he is a dream of iron-cold rest.
I close my eyes—you are the dream figure.

To the west, a mountain with peaks of gold and blood.
A hacked-down forest. And by a stump rests
A brown prairie son, no one else around,
Alone in the great plain, shabby and dumb,
Staring wide-eyed at the red horizon
Where the sun descends. The silence shrieks.
He is a dream of tired wanting and hopeless rest.
I close my eyes—you are the dream figure.

און בילד נאָך בילד אַזוי. און דו אויף יעדן בילד, —
דאַ ווי אַ וואָלקן שווער און דאַ ווי זונשיין מילד,
און אויסגעשטרעקט האָב איך די הענט מיינע צו דיר,
נאָר פרעמד פון אומעטום האָסטו געקוקט אויף מיר.
כ׳האָב אויך דאָס בילד געזען, וואָס איך האָב אין מיין פּיין
אַליין מיר אויסגעטרוימט — אָן אָפּרו דיר צו זיין, —
דאָרט האָב איך דיך געזוכט... געזוכט... געוואָלט דיך זען,
נאָר דאָרט בין איך אַליין די טרוימגעשטאַלט געווען.

ווער וויינט

ווער וויינט אַזוי? ווער זינגט אַזוי? וואָלט כאָטש אין אַזאַ נאַכט
אַ בלאַנדזשענדיקער נויט-סיגנאַל פון ערגעץ זיך געבראַכט.
וואָלט כאָטש אַ ווייטער פייער-שיין אַ בלאַנק געטאָן אַהער.
דאָס אייגענע געזאַנג איז שווער — איז ווי אַ מיל-ראָד שווער
אין אַזאַ נאַכט. דאָס אייגענע געזאַנג איז קאַלט און גרוי —
איז קאַלט און גרוי, ווי אַ פאַרוואָרלאָזטע און פרעמדע פרוי,
וואָס זיצט אין נעפּל איינגעהילט, דעם קאָפּ אויף ביידע הענט,
מיט אויגן, שוין פון וויינען רויט, צום ים אַרויס געווענדט.
דאָס אייגענע געזאַנג — דאָס איז די אייביק-בלינדע שרעק,
וואָס רויבט דיין רו ביי דיר און נעמט ביי דיר דיין שלאָף אַוועק
און טראָגט אים, ווי אַ וואָלקן, ערגעץ אין דער נאַכט אַרום.
דאָס איז דאָס קול פון אַ פאַרשאָלטענעם, וואָס קלאָגט זיך שטום
אין בלוט ביי דיר. דאָס איז דיין בלוט, וואָס קלאָגט פון זיך אַרויס
די שווערקייט פון דער וויסטעניש, וואָס שפּרייט אין דיר זיך אויס.
דאָס איז דאָס רעטעניש פון זיך אַליין — די גרויע פּיין,
וואָס דו וועסט קיינמאָל, קיינמאָל שוין פון איר דערלייזט ניט זיין.

And image after image thus. And you in every image—
Here heavy as a cloud, there, mild as sunshine,
And I reached out to you,
But from all around, you looked at me a stranger.
I have also seen this image, that, in my pain,
I dreamed for myself: to be your rest.
I have sought you there, wanted to see you,
But there, I, myself, was the dream figure.

Who Is Crying?

Who is crying? Who is singing? If only a call for help
Would penetrate this night, a beacon light
Flash in the distance.
Your own singing weighs on you like a mill wheel
In such a night. Your own singing is cold and gray
As a foreign woman, an outcast
Who sits wrapped in fog, head on her hands,
Turning red-rimmed eyes to the sea.
Your own singing is the blind terror
Stealing your sleep,
Blowing it off into the night like a cloud.
It is the stifled voice of the damned, complaining
In your blood. It is your blood lamenting
The weight of desolation spreading throughout you.
It is the riddle of yourself, the gray anguish
From which you will never, never be saved.

ביים שפּיגל

ווי פון חלום קינדער קראַנקע
וועקן זיך געדאַנקען,
וויינט אין זיי דאָס גרויע לעבן
פון אַ מענטש אַ קראַנקן.

— טראַכסטו ווער דאָס איז דער קראַנקער,
זעסטו אים אין שפּיגל.
— ווילסטו וויט פון אים אַוועקפלי׳ן,
האָסטו ניט קיין פליגל.

דאָס געשעענע

האָט זיך אַ דונער צוטראָגן געבראַכט —
ברעכן זיך וואָלקנס אין מיטן דער נאַכט,
גיסן זיך טייכן פון בערג נאָכאַנאַנד;
ברעקלען זיך פעלזן אַ וואַנט נאָך אַ וואַנט;
שווינגט זיך אַ טורעם־גלאָק הין און צוריק,
טרעפט אים אַ בליץ און צעהאַקט אים אין שטיק,
וואַרפט זיך אַ דאָרף, ווי אין שטורעם אַ שיף,
טרינקט זיך אַ שטאָט און פאַרזינקט אין דער טיף;
ראַנגלען זיך מענטשן מיט כוואַליעס און שוים,
שטרעקן זיך הענט צו אַ שפּיץ פון אַ בוים,
שליידערן זיך פון די צווייגן אַראָפּ
פייגל מיט נעגל אויף נאַקן און קאָפּ —
ברענען געשרייען ווי פייערן רויט,
שטיקט און דערווערגט און פאַרשלינגט זיי דער טויט.

At the Mirror

Like sick children from their dreams
Thoughts awaken.
In them cries the gray life
Of a sick man.

You wonder who this sick man is—
You see him in the mirror.
You want to fly away from him
But you have no wings.

The Event

Thunder came—and, at midnight, clouds
Crack; rivers pour down mountains,
Cliffs are crumbling, bluff by bluff;
A bell tower sways;
Lightning hits and smashes it.
A village tosses like a ship.
A city drowns in the deep.
People struggling in the waves
Stretch hands to treetops. Down from branches
Birds hurtle, claws after necks
And heads. Screams burn like red fire. Death
Strangles, suffocates, engulfs them.

דאָס לעצטע ליד

האָט מען אויפגעהערט אין גאָט צו גלויבן,
איז די ליבע אויך אַוועקגעגאַנגען —
האָבן מענטשן זיך אין טייך געוואָרפן,
האָבן מענטשן זיך אין וואַלד געהאָנגען.

האָט זיך אָפּגעטאָן פון טייך דער הימל,
האָט אין וואַלד דער פויגל שטיל געשוויגן,
זענען פּאַסטעך־פליים און אַקער־אייזן
אויפן פעלד געבליבן הפקר ליגן.

איז געוואָרן פון דער ערד אַ מדבר,
האָבן אַלע וועגן זיך פאַרלאָרן —
איז דער נביא אויף אַ שטיין געזעסן,
ביז ער איז אַליין אַ שטיין געוואָרן.

ווער איז?

ווער איז, ווער איז דער רייטער דאָרט,
וואָס רייט און רירט זיך ניט פון אָרט?
זיי שטיל, מיין בלוט, זיי שטיל, ניט וויין,
דער רייטער דאָרט בין איך אַליין.

אין האַלבער נאַכט אין מיטן וועלט,
ווער האָט פאַר איך דעם וועג פאַרשטעלט?
זיי שטיל, מיין בלוט, זיי שטיל, ניט וויין,
דער רייטער דאָרט בין איך אַליין.

און אַז ס׳איז פינצטער אומעטום,
וואָס קערט דער רייטער זיך ניט אום?
זיי שטיל, מיין בלוט זיי שטיל, ניט וויין,
דער רייטער דאָרט בין איך אַליין.

The Last Poem

When they stopped believing in God,
Love, too, departed—
People threw themselves in the river,
People hung themselves in the forest.

When Heaven turned away from the river,
When the bird grew silent in the forest,
Shepherd's flute and plowshare
Lay abandoned in the field.

When the earth turned into a desert,
When all the roads got lost—
The prophet sat on a stone
Until he turned to stone.

Who Is?

Who is, who is the rider there,
Who rides and rides and goes nowhere?
Be still, my blood, be still, don't cry,
I am the rider there.

Midnight, in the middle of nowhere:
Who has blocked the road ahead?
Be still, my blood, be still, don't cry,
I am the rider there.

And since it's dark out everywhere,
Why doesn't the rider turn back?
Be still, my blood, be still, don't cry,
I am the rider there.

V אַ נאַכט

V A NIGHT

אַ נאַכט

VIII

שפּרייט איך אויס די אויגן מער,
ווערט ווי בליי דער קאָפּ מיר שווער.
ווייס איך ניט פאַרוואָס איך וויין,
קומט דאָס מענטשעלע צוגיין
נאָכאַמאָל, און וויינט ווי איך,
און עס רופט מיך צו צו זיך,
און עס שעפּטשעט: ברודער מיין,
ווער איז שולדיק אין דיין פּיין?
האָסטו דאָך אַליין געבענקט
זען דיין טאַטן ווי ער הענגט.
הענגט ער און ער וויגט זיך שטום
פאַר די אויגן דיר אַרום.
מיינסטו אַז דאָס איז אַ טרוים?
ריר-זשע אָן אַליין דעם בוים
און דעם טאַטנס הענט און פיס,
ווערסטו זען ווי קאַלט ער איז.
זע די אויגן. זע ווי גרויס,
און די צונג וואָס שטעקט אַרויס.
רייס אים אויס די האָר פון באָרד,
זאָגן וועט ער ניט קיין וואָרט.
מאַך דיין טאַשן-מעסער אויף,
פיר עס דורך זיין בויך אַרויף.
קלאַפּ אים אויס זיין לעצטן צאָן.
פאַר זיין נאָז צינד פייער אָן.
ברען און בראָט אים, רייס און פליק.
הענגען בלייבט ער אויפן שטריק,
און גענוי, נאָך דיין באַגער,
וויגט ער זיך אַהין-אַהער.
וואָס-זשע וויינסטו ברודער מיין,
ווער איז שולדיק אין דיין פּיין? — — —

X

בענק איך נאָך דער קינדער-צייט
וואָס איז דרייסיק יאָר שוין ווייט,

from *A Night*

VIII

I open my eyes wider,
My head is heavy as lead.
I don't know why I'm crying.
The little man comes
Once again, and cries like me,
And he calls me over to him,
And he whispers: My brother,
Who is to blame for your pain?
You know, you yourself have longed
To see how your father hangs.
He dangles, swinging mutely
Right before your eyes.
You think this is a dream?
Then, just touch the tree
And your father's hands and feet,
And you will feel how cold he is.
See his eyes, how large they are,
And his tongue sticking out.
Pull hair from his beard,
He won't say a word.
Open your pocket knife,
Drive it up through his belly.
Knock out his last tooth.
Light a fire under his nose.
Burn and roast him, pull and pluck.
He'll still be dangling on the rope,
And at your will
He'll rock back and forth.
Why then do you cry, my brother,
Who is to blame for your pain?—

X

When I long for childhood
Thirty years behind me,

קומט דאָס מענטשעלע אַפיר,
און עס הויבט זיך אויף צו מיר:
און עס שעפּטשעט: ברודער מיין,
וואָס דו ווילסט — דאָס זאָל זיין.
און עס שפּרייט דאָס זעקל אויס,
און עס שלעפּט פון דאָרט אַרויס
אַ פּאַרצייטיק מאַנטל־קלייד,
פּורפּור־רויט און לאַנג און ברייט.
הענגען אויף אים פליגל צוויי,
קויטיקע ווי אַלטער שניי.
קריכט דאָס מענטשעלע אַריין
אין דעם קלייד, און הילט זיך איין.
און אַ שטריימל מער ניט גאַנץ,
מיט אַ גרינעם לאָרבער־קראַנץ,
טוט עס אָן זיך אויפן קאָפּ,
איבער די אויערן אַראָפּ.
און אַ האַרף מיט סטרונעס רויט,
פול מיט זשאַווער און מיט קויט,
שטעלט עס לעבן זיך אויף דר׳ערד,
און מיט אויגלעך צוויי פאַרטרערט,
פרום־פאַרגלייסט אַרויף־צו־צו,
הויבט עס אָן דאָס איי־ליו־ליו,
וואָס מען האָט מיט יאָרן פריי׳ר,
ביי מיין וויג געזונגען מיר.

XII

זינגט דאָס מענטשעלע ליו־ליו,
פאַלן מיר די אויגן צו.
זע איך שוין אַ יינגל זיך
אין מיין טאַטנס ראָק און שיך.
וויל איך ניט אין חדר גיין,
לייג איך זיך אויף דר׳ערד און וויין.
וואַרפט די מאַמע מיך אַרויס,
שטיי איך ביי דער וואַנט פון הויז.
בלאָזט מיט שניי אויף מיר דערווינט.
פיל איך ווי דאָס וואַסער רינט
פון מיין קאָפּ קאַלט אַראָפּ.
וויש איך מיט אַן אַרבל אָפּ.

The little man comes out,
And he rises to me.
And he whispers: My brother,
Whatever you want shall be.
And spreading open his sack,
He pulls out
An antique cloak,
Purple-red and long and wide.
On it two wings hang,
Soiled as old snow.
The little man crawls into
The cloak and wraps himself in it.
And on his head he places
A fur-trimmed hat that's lost its shape,
Trimmed with a green laurel wreath,
And pulls it down over his ears.
And nearby on the ground he sets
A harp with red strings
Caked with rust and dirt.
And, his two tearful eyes
Gazing upward, glazed with piety,
He begins the lullaby
That, years and years ago,
My mother sang beside my cradle.

XII

The little man sings, liu-liu,
My eyes close.
I see myself as a little boy
In my father's coat and shoes.
I don't want to go to school,
So I lie on the floor and cry.
Mama pushes me outside.
I stand by the wall of the house,
And the wind blows snow on me.
I feel how coldly the water
Drips down my face.
I wipe it with my sleeve, and

פֿאַלט דער גראָשן מיר פֿון האַנט,
לייג איך זיך אין שניי ביים וואַנט,
און עס טוט מיר אַזוי באַנג,
וואָס איך קאָן ניט ווערן קראַנק.
קומט דער פֿריץ פֿון דער מיל,
טוט זיין הונט אויף מיר אַ ביל.
גנבֿע איך פֿאַר אים אַרויס,
אַ כּזית ברויט פֿון הויז.
כאַפּט דער הונט דאָס ברויט און קייט.
קומט די מאַמע און זי שרייט —
שרייט און שילט מיך מיטן טויט,
וואָס איך טראָג פֿון הויז דאָס ברויט,
ווען דער טאַטע אויפֿן מאַרק
האָרוועט נעבעך אַזוי שטאַרק,
און ער פֿרירט דאָרט אין דער קעלט
ווייל מען דאַרף שכר־לימוד־געלט.

XIII

הער איך ווי די מאַמע שילט,
און דעם הונט וואָס שפּרינגט און בילט,
און דעם פֿריץ ווי ער לאַכט, —
דאַכט זיך מיר אַז ס'איז ביינאַכט
און דער פֿריץ מיט געבֿרום
דרייט זיך אַרום מיר אַרום,
ווי אַ בייזער שוואַרצער בער,
טאַנצנדיק אַהין־אַהער.
ברומט דער פֿריץ און ער שפּרינגט,
טאַנצט די מאַמע מיט און זינגט.
שפּרינגט דער הונט אַריין אין ראָד,
און עס ווערט אַ קאַראַהאָד.
לויפֿט אַ ייִד די גאַס אַראָפּ,
רינט ביי אים דאָס בלוט פֿון קאָפּ,
זע איך ווי ער שפּרינגט פֿון פּיין
און ער פֿלעכט אין ראָד זיך איין:
קומען ייִדן נאָכאַנאַנד,
בלוטנדיק פֿון קאָפּ און האַנט.
קומען טאַנצנדיק אַרויס
לייט פֿון שול און לייט פֿון קלויז.

The groshen falls from my hand.
I lie down in the snow by the wall
And I'm so sorry
That I can't be ill.
The landowner comes from the mill,
And his dog barks at me.
I sneak into the house and steal
A piece of bread for it.
The dog grabs the bread and chews.
Then Mama comes out and screams—
Screams and curses me with death
For taking bread from the house
When my father, poor thing,
Works himself to death at the market
And freezes in the ice and snow—
All for my tuition money.

XIII

I hear how my mama curses,
And how the dog leaps and barks,
And how the landowner laughs—
And it seems to me that it's night
And the landowner roars
And spins around and around me
Like an angry black bear
Dancing back and forth.
The landowner roars and leaps,
My mama dances with him and sings.
The dog leaps into the circle,
And all dance in a ring.
A Jew runs down the street,
Blood dripping from his head,
I see how he leaps with pain
And he weaves himself into the circle:
Jews come one after another,
Bleeding from heads and arms.
People emerge dancing
From the *shul* and the *kloyz*.

לויפן אָן די ווייבער אויך,
פליען פעדערן פון בויך.
קומט אָן אַלטער ייד, וואָס ברענט,
מיט אַ תורה אין די הענט.
פלעכטן זיך אַריין אין טאַנץ
יידן נישט־דערקוילעט גאַנץ.
קומט מיט אַ געהרגעט קינד,
און מיט האָר צעלאָזט אין ווינט,
און מיט אויגן גרויס און גרין,
אַ משוגענע צופלי׳ן.
טאַנצט די גאַס מיט הויז און קלויז,
טאַנצט פון ברעג דער טייך אַרויס
מיט אַ כוואַליע בלוט און שוים.
טאַנצט ביים ברעג פון טייך דער ב:ים.
טאַנצט דער טאַטע אויפן שטריק,
מיט אַ גלעזערדיקן בליק.
קומען מתים — לאַנג שוין טויט,
שפרינגענדיק מיט פאָנען רויט.
און מיט פאָנען, בלוי און ווייס,
קומען גאַנצע קופעס מייז
הינטער זיי, אַלץ מער און מער,
פון דער אַפּטריט־וואַנט אַהער.
דרייט זיך אַלץ מיט פיס אין בלוט,
און מיט קעפּ און רויך און גלוט,
רינגלען אַלע מיך אַרום,
וויל איך שרייען — בין איך שטום.
פּרוּוו איך אויפהויבן אַ האַנט,
ריר איך אָן אַ קאַלטע וואַנט.
הער איך ווידער, ווי מען קלינגט
אויף אַ האַרף, און ווי מען זינגט.
עפן איך די אויגן ווייט,
שטייט דאָס מענטשעלע ביים זייט —
ביי מיין בעט אַנטקעגן מיר —
אַנגעטאָן אַזוי ווי פרי׳ר
און מיט שטיינערדיקער רו
וויגט עס זיך און זינגט ליו־ליו.

Women, too, come running,
Feathers flying from their bellies.
An old Jew on fire comes whirling,
Cradling a Torah in his arms.
Weaving in a round dance are
Jews, not fully slaughtered yet.
With a murdered child in her arms,
And her hair loose in the wind,
And eyes large and green,
A crazy woman comes flying.
The street dances with house and *kloyz*,
The river dances over its banks
With a wave of blood and foam.
The tree dances on the riverbank.
My father dances on the rope
With a glassy gaze.
Corpses long dead leap in,
Carrying red flags.
And, bearing blue and white flags,
Whole heaps of mice follow
From the outhouse wall.
Spinning with feet in blood,
With heads in smoke and flame,
All surround me;
I want to scream, but I am dumb.
When I try to raise my hand,
I touch a cold wall.
Again I hear someone play
A harp and someone sing.
I open my eyes wide,
The little man stands by my bed
Dressed as before
And with stony repose
He rocks himself and sings liu-liu.

XVI

און דריי מאָל אַ דריי — און דאָס מענטשעלע שטייט
שוין הויך אויפֿן טיש, אין אַ פּרעדיקער־קלייד.
און טייטלענדיק צאַרנדיק אויף מיר, הויבט עס אָן:
אָן אויג פֿאַר אַן אויג און אַ צאָן פֿאַר אַ צאָן.
און האָט מען פֿאַרברענט דיר דאָס בעט און דעם דאַך,
איז — וואָיע ביים שוועל, ווי אַ הונט אויף דער וואַך.
די ערד פֿרעסן ווערעם. דער פֿויגל פֿרעסט זיי.
טאַ כאַפּ זשע, דו הונט, דיר, אַ פֿויגל אין שניי,
וואָס שפּרינגט מיט געפֿרוירענע פֿליגל און פֿיס
און טייל מיט דיין ברודער, אַ ביס נאָך אַ ביס.
און האָט ער קיין הענט ניט — אַ האַנט האַק אַראָפּ
פֿון אייגענעם אַקסל, און גיב זי אים אָפּ.
און האָט אויך דיין שוועסטער אַ ממזר געהאַט, —
דו שריי אַז עס הייסט „שוויענטע דוך” דער סאָלדאַט.
און אַז ס'איז דער ממזר אַ קומענדער גאָט,
וואָס ברענגט אונדז, ווי יעזוס, בלויז ליבע און גנאָד.
און גלויבט מען דיר ניט — נעם דעם צלם פֿון האַרץ,
און נעם אויך דעם טלית האַלב ווייס און האַלב שוואַרץ,
און לייג זיי צוזאַמען און שפּיי אויף זיי אָן.
און דאַן הייס דיר ברענגען אַ פֿאָן נאָך אַ פֿאָן,
און פֿלעכט פֿון זיי אַלע אַ שטריק דיר צונויף,
און הענג ביי דער זייט פֿון דיין טאַטן זיך אויף,
און הוידע מיט אים זיך אַהין און צוריק
אַזוי ביז ס'עט דורכגעפֿוילט ווערן דער שטריק,
אַזוי ביז אַ גוי וועט אייךביידן אין דר'ערד
באַגראָבן מיט זיינס אַ געפּגרטן פֿערד.

XIX

בין איך ניט ביים קלאָרן זין —
ווייס איך מער ניט וואו איך בין.
דרייט זיך וועלט מיט פֿעלד און שטאָט
אין אַ פֿייער־רויטן ראָד.
וואַקסט אַרויס אַ טשאָלנט־טאָפּ.
קריכט פֿון דאָרט אַרויס אַ קאָפּ.
זעט ער אויס מיט באָרד און האָר,
עלטער שוין פֿון טויזנט יאָר.

XVI

And spinning three times, the little man stands
High on a table in a preacher's robe.
And pointing wrathfully at me, he begins:
An eye for an eye and a tooth for a tooth.
And once they've burned your bed and your roof,
Go wail by the doorstep like a dog on guard.
Worms eat earth. Birds eat worms.
So, dog, grab a bird in the snow
Hopping on frozen feet and wings
And divide it with your brother, piece by piece.
And if he has no hands, chop
An arm from your shoulder and hand it to him.
And if your sister bore a bastard,
Shout that the soldier's name is "Holy Spirit,"
And that the bastard is a god-to-be
Who, like Jesus, brings us only love and mercy.
And if they don't believe you, take the cross from your heart
And also take the prayer shawl—half white and half black—
And place them together and spit on them both.
And then order all the flags brought to you
And braid them all together in a rope
And hang yourself at your father's side,
And with him swing back and forth
Until the rope rots through,
Until a gentile buries you two
In the ground with his dead horse.

XIX

I am not in my right mind
And I don't know where I am.
The whole world—field and town—
Spins in a fire-red wheel.
A *tsholent* pot springs up
And from it crawls a head
That seems, from its beard and hair,
Older than a thousand years.

וואַקסט אַ מויז פון דיל אַרוים.
ווערט זי ווי אַ העלפאַנט גרויס.
גריזשעט זי די באָרד פון קאָפּ
און זי שלינגט די האָר אַראָפּ.
נעמט ביים האַנט מיך עמעץ אָן,
גיט צו טראָגן מיר אַ פאָן.
קוקט דער טאַטע פונעם בוים,
זידט אַרום זיין מויל אַ שוים,
רופט ער מיט אַן אויג און ווינקט.
הער איך ווי אַ פּושקע קלינגט,
ציט זיך אַ לויה-גאַנג,
איז ער טויזנט מייל לאַנג.
קלינגען פּושקע-קלאַנג און טריט,
טויזנט-יאָריק אַלט און מיד.
דאַכט זיך מיר אַז עמעץ זיצט
אין אַ טלית, בלוט-באַשפּריצט,
אין דער מיטה, און ער ברענט
מיט אַ תורה אין די הענט.
ווינגט ער זיך אַהין אַהער,
פרעג איך וואָס דאָס איז, און ווער?
דאַכט זיך מיר אַז איך אַליין
זיץ אין מיטה און איך וויין.

טראַכט איך — ווער און וואו איך בין,
און פון וואַנען, און וואוהין —
ציט זיך אויס אַ קייט, וואָס גליט
ווי אַ שלאַנג פון גאָלד געשמידט.
דרייט די קייט זיך נאָכאַנאַנד
זיבן מאָל אַרום מיין האַנט.
וואַקס איך אויס אין לאַנד ביים ניל,
וואו עס וואוינט דער קראָקאָדיל,
טוט מען דאָרט מיך נאַקעט אויס.
ברענגט מען מיך אין קעניגס הויז.
הער איך ווי דער קעניג שרייט —
ווארפן שקלאַפן זיך און לייט
פאַר דעם קעניג צו דער ערד.
שלאָגט ער זיי מיט פוס און שווערד.
ברענגט אַ שקלאַף אים פלייש און וויין —
שפּייט ער אין דער טאַץ אַריין.
— ברענגט מען אים אַ נאַקעט ווייב —

A mouse creeps from the floor.
It grows big as an elephant,
Gnaws the beard from the head,
And gulps down the hair.
Someone takes my hand,
And gives me a flag to bear.
My father stares from the tree,
Foam seething from his mouth,
And he beckons with a wink.
An almsbox jingles, and
A funeral cortege
Stretches a thousand miles.
Alms clink, feet tramp,
Tired as their thousand years.
It seems to me that someone sits
In a blood-spattered *tallis*
On a stretcher and burns
With a Torah in his arms.
As he rocks back and forth,
I ask, "Who is this and why?"
It seems to me that I am
Sitting in the stretcher. I cry.

I wonder who and where I am
And where I'm from and where I'll go—
A chain stretches, glowing
Like a gold-wrought snake.
The chain spins, winding
Seven times around my arm.
I spring up in the country by the Nile
Where the crocodile dwells.
There, I am undressed
And taken to the king's palace.
I hear the king shouting—
Slaves and courtiers fall
To the ground before the king.
He kicks them and beats them with his sword.
A slave brings him meat and wine—
He spits into the tray.
A naked woman is brought to him—

שלאָגט ער מיט אַ בייטש איר לייב
און דאָס האַרץ איר שניידט ער אויס,
און ער זייגט דאָס בלוט אַרויס.
זייגט ער און ער וויל נאָך מער —
ברענגט מען מיך צו אים אַהער.
הויבן די מכשפים אָן
דרייען זיך אַרום זיין טראָן:

— קעניג, ווילסטו זיין געזונט,
הייס אים שלאָגן ווי אַ הונט.

— קעניג, ווילסטו פריילעך זיין,
מויער אים אין וואַנט אַריין.

— קעניג ווילסט אַ שיינע שפּיל,
וואַרף־זשע אים אַריין אין ניל.

— קעניג, ווייז אונדז דיין גענאַד,
מאַך זיך פון זיין בלוט אַ באַד.

מויערט מען אין וואַנט מיך איין,
וואַרפט מען מיך אין ניל אַריין,
זייגט מען מיר פון האַרץ דאָס בלוט
ווייס איך מער ניט וואָס מען טוט.
וויין איך, שריי איך אין מיין נויט,
און איך בעט אויף זיך דעם טויט,
און איך שפּרינג אין ים אַריין
אויסגעלייזט צו זיין פון פּיין.
הייסט דער קעניג כאַפּן מיך.
וואַרפן אין די כוואַליעס זיך
קעניגס לייט, מיט שפּיז און שווערד,
און מיט רייט־וועגן און פערד.
זע איך אַלע אונטערגיין,
ווי אַן איינציק גרויסן שטיין.
איז דאָס זייער ווייסטע שטראָף —
וואַרט איך אויף דעמזעלבן סוף.
טראָגט אַ כוואַליע מיך אַוועק,
און זי ברענגט מיך צו אַ ברעג.
איז דער ברעג אַ ווייסטער אָרט —
איז נישטאָ קיין וואַסער דאָרט.
איז די ערד פאַרטריקנט רויט —

He whips her
And cuts out her heart,
And he sucks the blood from it.
He sucks it dry and still he wants more—
Then I am brought to him.
And the wizards begin
To spin around his throne:

—King, for your health,
Have him beaten like a dog.

—King, for your happiness,
Brick him into a wall.

—King, for your amusement,
Throw him in the Nile.

—King, show your good grace,
Bathe in his blood.

They brick me into the wall,
They throw me in the Nile,
They suck the blood from my heart.
I don't know what to do.
I cry, I shout in my need,
And beg for death
And leap into the sea
To free myself from pain.
The king commands: they must catch me.
The king's men throw themselves
Into the waves with daggers and swords,
With chariots and horses.
I watch them all sink
Like one huge stone.
This is terrible punishment—
I await the same end.
A wave carries me off and beaches me
In a desolate place, where
There's no water, and
The arid earth is red:

איז נישטאָ אויף איר קיין ברויט.
ציט זיך, ציט זיך יאָרן לאַנג
איבער סטעפּ און באַרג מיין גאַנג.
דאַכט מיר, אַז איך וועל אַליין
זיך פאַרוואַנדלען אין אַ שטיין
און איך וועל שוין מער קיינמאָל
קומען אין אַ מענטשן־טאָל.

ווייס איך ניט וואוהין צו גיין —
גיי איך, גיי איך און איך וויין.
דרייט די קייט זיך נאָכאַנאַנד
זיבן מאָל ארום מיין האַנט.
מאַכט אַ טאָג זיין טויער אויף,
גייט אַ מאָרגן־זון ארויף;
קום איך אין אַ לאַנד אַריין,
פליסט דאָרט האָניק, מילך און ווייַן,
בענטש איך, וויינענדיק, די ערד,
וואו ס׳איז רו פאַר מיר באַשערט.
און איך שטעל מיר אויף אַ הויז,
און איך פלאַנץ אַ גאָרטן אויס;
זע איך ווי מיין גאָרטן בליט,
און די זון וואָס לויכט און גליט
איבער פעלד און טייך און בוים —
זיץ אין שאָטן איך און טרוים.
טרוימט זיך מיר אַ וויים שטיק ערד,
וואָס ווערט חרוב דורך דער שווערד.
טרוימט זיך מיר אַ לאַנד וואָס ברענט,
שרייט אַ פאָלק און שטרעקט די הענט.
טרוימט זיך מיר אַ שווערד פון פלאַם
איבער וועלט און פעלד און ים.
דאַכט מיר, אַז די וועלט איז מיד
און זי בענקט נאָך רו און פריד.
זע איך, טרוימענדיקערהייט,
רייטן זיך אין וויַיסן קלייד.
האָב איך ניט קיין קרוין, קיין שווערד,
רייט איך אויף אַ וויַיסן פערד;
פלעכט די זון פון ליכט און גלאַנץ
אויף מיין קאָפּ אַ שטראַלן־קראַנץ.
פליען טויבן מיר פאָראויס
דורך דער וועלט לאַנד איין לאַנד אויס.

It bears no bread.
My wandering extends
Years across mountains, steppes.
I will turn to stone,
Never again
To reach a valley of men.

I don't know where to go—
I walk and walk and cry.
The chain spins, winding
Seven times around my arm.
Day opens its gates,
A morning sun rises;
I enter a country
Where milk, honey, and wine flow;
Crying, I bless the soil
Where my rest is decreed.
And I raise a house
And plant a garden;
I watch my garden bloom
And the sun shine, glowing
On fields, river, trees—
I sit in the shade and dream.
I dream a distant plot of earth
That swords destroy.
I dream a burning land, where
A people shouts, reaching out hands.
I dream a sword of flames
Over a world of fields and sea.
The world seems tired
And longs for rest and peace.
I see myself in a trance,
Riding, in a white garment.
I have no crown or sword,
I ride a white horse;
The sun braids from its beams
A nimbus around my head.
Doves fly before me from land to land
Throughout the world,

זאָגן זיי מיין קומען אָן;
קומען מענטש און לייב און האָן,
קומען פריילעך קינד און קייט
אויף דעם רוף פון מיין טראָמפּייט.
הויבן אָן צו גיין, צו זען,
ווער ס'איז בלינד און קרום געווען;
הערט מיין רוף דער בייזער טויט,
שפּרינגט ער איבער צוים און פּלויט,
שפּרינגט ער איבער בוים און הויז —
לויפט ער פון דער וועלט אַרויס.
עפנען זיך די קברים אויף,
שוועבן קינדערלעך אַרויף;
שוועבן זיי, אין זונען-שיין,
מאַמעס אין די הענט אַריין.
קומען לייט מיט זילבער-בערד,
בליען בלומען אויף דער ערד
הינטער זיי'רע טריט אַפיר.
טוט זיך אָן אין יום-טוב-ציר
באַרג און טאָל און וואַלד און פעלד.
זע איך אָט-אַזוי די וועלט —
אָנגעטאָן אין רו און פריד.
וויינט מיין האַרץ פון פרייד און גליט.
וויינט מיין האַרץ און זינגט אין טרוים
אין דעם שאָטן פון מיין בוים.
בענק איך שוין דעם טאָג צו זען,
ווען עס וועט אַזוי געשען.
דרייט די קייט זיך, נאָכאַנאַנד
זיבן מאָל, אַרום מיין האַנט.
גיט די זון איר לעבן אָפּ
און עס קומט אַ נאַכט אַראָפּ.
הער איך שווערן זעלנער-גאַנג,
זעלנער-גאַנג און שווערד-געקלאַנג;
פרעגט מען ביים לאַמטערן-שיין,
צי איך וויל אַ קעניג זיין.
זאָג איך — ניט פון אָט דער וועלט.
לאַכט מען אין אַ ראָד צעשטעלט
און, ווי פאַר אַ קעניגס טראָן,
הויבט מען זיך צו נויגן אָן.

Foretelling my coming;
Men and lions and cocks come,
Young and old come, rejoicing
At the sound of my trumpet.
The blind and the lame
Begin to see and walk;
Evil death hears my call
And leaps over fences and hedges,
Leaps over trees and houses
And runs out of the world.
Graves open and
Little children soar
Up into the sunshine,
Up into their mothers' arms.
As men with silver beards come,
Flowers blossom
Beneath their feet.
Mountains and valleys, woods and fields
Put on holiday frills.
I see this very world
Dressed in peace and rest.
My heart cries with joy, and glows.
My heart cries and sings, dreaming
In the shadow of my tree.
I long to see the day
When such dreams will come to be.
The chain spins, winding
Seven times around my arm.
The sun surrenders its life
And night descends.
I hear soldiers marching,
Soldiers marching and swords striking;
They ask me by lantern light
If I want to be a king.
I say, "Not in *this* world!"
They laugh and gather in a circle
As if before a king's throne,
And they bow before me.

— גרויסער קעניג מאַנספּערשוין
וואָס אים פעלט איז נאָר אַ קרוין.

— האָט אַ האַרץ מיט פרייד און פריד
נאָר קיין הויפלייט האָט ער ניט.

— האָט אַ קאַמער אויך מיט מייז,
פעלן פעלט נאָר וויין און שפּייז.

— האָט אויך אַ האַרעם, יאָ, יאָ,
נאָר קיין ווייב איז דאָרט נישטאָ.

שווייג איך און איך ענטפער ניט.
נעמט מען מיך אַריין אין מיט
און אַרום מיין קאָפּ אַרום
פלעכט מען דערנער שפּיציק-קרום.
נעמט זיך אָן אַ גאַסן-ווייב —
רייסט מען איר דאָס קלייד פון לייב
און מען טוט דאָס אָן אויף מיר
פּאָר אַ קעניגלעכער ציר.
און מען שטרעקט און ציט מיך אויס
אויף אַ צלם שוואַרץ אַ גרויס.
שלאָגט מען מיך מיט טשוועקעס אָן
און מען רופט דאָס אָן מיין טראָן.
ברענט די וואונד אין פיס און הענט
ווי אַ גיהינום-פייער ברענט;
וויין איך אין מיין פּיין און נויט
און איך בעט אויף זיך דעם טויט.
הייבט דער צלם אָן צו גיין
איבער וואַלד און פעלד און שטיין.
גייט דער צלם און איך הענג
אויסגעצויגן אין דער לענג.
לויפן, וואַיענדיק פון שרעק,
מענטש און הינט און רינד אַוועק.
יאָגט זיך ווילד דער ווינט פאַראויס —
רייסן גראָז און בוים זיך אויס.
קערט זיך איבער הויז און פלויט,
ווערט די נאַכט ווי פייער רויט.
קום איך ביי דעם רויטן שיין
אין אַ פרעמדן לאַנד אַריין.

—Great king, manly one,
All he's missing is his crown.

—He has a heart with joy and peace,
But he has no courtiers.

—He has a chamber filled with mice;
All they lack is food and wine.

—He also has his harem,
Without a single woman.

I am silent, don't reply.
They surround me
And around my head
They braid thorns crookedly.
A whore comes to my defense—
They tear off her dress
And put it on me
For a royal ornament.
And they stretch me out
On a huge black cross.
They pound nails into me,
And they call this my throne.
The wounds in my feet and hands
Burn like fire in Hell;
I cry out in my pain and need
And pray for death.
The cross begins to travel
Over wood and field and stone.
The cross travels and I hang,
Stretched all my length.
People, dogs, and cattle
Run away, howling in fear.
The wind races wildly about,
Tearing up grass and trees,
Toppling houses and hedges.
The night turns red as fire.
With the red shining I arrive
In a strange land.

שטרעקט מען הענט פֿון דאָ און דאָרט
און מען רייסט מיך ביי דער באָרד.
מאַכט זיך אויף אַן אייזן־טיר,
שפּרינגט פֿון דאָרט אַ לייב אַפֿיר.
רייסט ער מיר דאָס פֿלייש אַראָפּ
שטיקערווייז פֿון האַנט און קאָפּ. —
בלייבט ער ליגן אין דעם זאַמד
און ער רעוועט ווי פֿאַרסמט.
לויף איך אין דער נאַכט אַרום,
לויפֿט דער צלם שוואַרץ און גרוים
הינטער מיר דורך נאַכט און ווינט.
רוף איך דורכן חושך בלינד —
טראָגט זיך מיר פֿאַראויס מיין קול
איבער סטעפּ און באַרג און טאָל.
פֿאַלן אַן ביי יעדער טיר
אַלע בייזע הינט אויף מיר.
לויף איך, לויף איך אָן אַן ענד
און איך רוף און שטרעק די הענט.
קום איך אין אַן אַנדער אָרט,
וואַרפֿט מען מיך אין פֿייער דאָרט —
הויב איך מיט דעם פֿלאַם זיך אויף
און איך וואַקס צוריק אַרויף.
גליט מען אייזן פֿייער־רויט,
שינדט מען פֿון מיין לייב די הויט —
שמעלצט דאָס אייזן אין דער גלוט
פֿון מיין ברענענדיקן בלוט.
טרייבט מען ווי אַ בייזן שד
מיך מיט פּסוקים און געבעט.
לויף איך איבער שטעג און וועג,
הער איך הינטער מיר געיעג.
זע איך צלמים מער און מער
יאָגן זיך צו מיר אַהער.
זע איך זיך, ווי דורך אַ רויך,
אויף די צלמים אין דער הויך.
שליס די אויגן איך און לויף,
הויבן קלויסטער־ווענט זיך אויף.
זע איך הענגען זיך אַליין,
בלוטנדיק אויף יעדן שטיין.
רופֿט אַ גלאָק צום תּפֿילה־גאַנג,
ווײנט מיין בלוט אין זיין געקלאַנג.

Hands, extended from here and there,
Pull my beard.
An iron door opens,
A lion leaps out
And tears my flesh
Piece by piece.
He lies in the sand
And roars as if poisoned.
I run into the night,
The huge black cross runs
Behind me through night and wind.
I call through blind darkness—
And my voice carries me
Over steppe and mountain and valley.
At every door
Vicious dogs attack me.
I run, run endlessly
And I call, reaching out my hands.
I come to another place.
There, I am thrown into a fire.
But I climb with the flame
And I emerge again.
They make iron glow,
They flay my skin,
But the iron melts in the heat
Of my burning blood.
They drive me off like an evil devil
With verses of the Bible and prayers.
When I run over trails and roads
I hear them chasing me.
I see crosses and more crosses
Racing toward me.
Through smoke I see myself
Mounted on the crosses.
When I close my eyes and run,
Church walls rise.
I see myself hanging
Bloodily from every stone.
A bell calls men to prayer
And my blood cries in its sound.

שטרעקן קלאַנג און קלויסטער-ווענט
זיך צו מיר ווי פייער-הענט.
גראָב איך מיר אַ גרוב אַליין
אין דער ערד מיט הענט און ציין.
שפּייט די ערד מיך אויס צוריק,
בלייב איך ליגן בלוטנדיק.
הייבט זיך אויף אַ פייער-שווערד
צווישן הימל און דער ערד.
טראָגט זיך אָן פון אומעטום
אויסגעמישט מיט פּי-געברום
וויי-געשריי פון מענטש און קינד,
ווי געקלאַג פון וועלף און הינט.
פרואוו איך רופן נאָכאַמאָל,
שטיקט זיך אין דער ברוסט מיין קול.
ווייס איך מער ניט וואו איך בין —
וואַרף איך זיך אַהער-אַהין,
און מיט וועלט און פעלד און שטאָט
דריי איך זיך אין פייער-ראָד.

ליגן בערג מיט קעפּ און הענט,
צווישן פלאַם און רויך פאַרברענט.
זע איך אַז איך בין אַליין
אין אַ סטעפּ פון זאַמד און שטיין.
וויין איך מיר די אויגן רויט,
וואָס מיר נעמט זיך ניט קיין טויט.
קומען פּושקע-קלאַנגען שווער
ווידער פון דער וויים אַהער.
זע איך אַ לוויה-גאַנג
איז ער טויזנט מיילן לאַנג.
קלינגען פּושקע-קלאַנג און טריט
טויזנט-יאָריק אַלט און מיד.
זיצט אין מיטה ווער און ברענט
מיט אַ תורה אין די הענט.
וויגט ער זיך אַהין-אַהער —
פרעג איך וואָס איז דאָס און ווער?
ציט זיך אויס אַ שלאַנג, וואָס גליט
ווי אַ קייט פון גאָלד געשמידט.
דרייט די קייט זיך, נאָכאַנאַנד
זיבן מאָל, אַרום מיין האַנט.

Bells and church walls stretch
Toward me like hands of fire.
When I dig my own grave
With my teeth and nails,
The earth spits me out.
I lie in my blood.
A sword of flames
Splits heaven and earth.
Children cry out, and voices in pain.
Beasts bellow, wolves howl.
When I try to call again,
My voice sticks in my chest.
I don't know where I am—
I toss back and forth,
And spin in a wheel of fire
With the world—field and town.

Mountains lie piled with heads and hands,
Burned and still smoking.
I see that I am alone
In a steppe of rocks and sand.
I cry until my eyes are red,
Asking why I have not died.
The distant sound of alms jingling
Reaches me again.
I see a funeral cortege
Stretching a thousand miles.
Alms clink, feet tramp,
Tired as their thousand years.
Someone sits in the stretcher and burns
With a Torah in his arms.
As he rocks back and forth,
I ask him, "Who is this and why?"
Then a snake leaps out, glowing
Like a gold-wrought chain.
The chain spins, winding
Seven times around my arm.

דאַכט זיך מיר, אַז איך אַליין
זיץ אין מיטה און איך וויין.
מאַכט ביים וועג אַ גרוב זיך אויף,
קומט אַ קול פון דאָרט אַרויף.
וויינט און פרעגט — וואוהין? — דאָס קול.
וויינט און ענטפערט באַרג און טאָל:
— אייביק רולאַז, אייביק בלינד
וואָגלען וואָלקנס מיט דעם ווינט.

XX

שטעלט מען זיך אָפּ אויף אַ שנייאיקן פעלד,
לאָזט מען מיך איבער אַליין.
קומט אויף אַ קוליע, פאַרבונדן דעם קאָפּ,
דאָס מענטשעלע ווידער צוגיין.

רופט עס מיך קעניג, און נויגט זיך פאַר מיר,
און פרעגט נאָך מיין וואונטש, מיין באַגער.
זאָג איך אים: — זעסט דאָך אַז איך בין אַליין,
און רירן זיך קאָן איך ניט מער.

טוט ער אַ וואונק — קומט, פון זעלנער געיאָגט,
אַ נאַקעט סקעלעט פון דער וויט.
הייבט עס די פיס, ווי ביי נאַכט אין אַ שענק
אַ מויד צווישן שיכורע לייט.

הייבט עס די פיס און עס טאַנצט אַרום מיר,
טאַנצט עס און זינגט מיט געברום:
— אַזוי זאָל זיך דרייען דער טויט אַרום דיר
אין אייביקן רעדל אַרום. —

— וואַקסן אוים ווייבער אַ מחנה פון דר'ערד
בראָט מען ביים פייער אַ קינד.
טיילט מען מיט הענטלעך און פיסלעך זיך איין,
לאָזט מען דעם קאָפּ פאַר די הינט.

טיילט מען זיך איין, און די ביינער פון קינד
הייבט מען און וואַרפט מען אויף מיר.
— אַזוי זאָל מען פרעסן דיין לעבעדיק לייב
ביז דאָס־אַ וועט בלייבן פון דיר. —

It seems to me that I am
Sitting in the stretcher. I cry.
A grave opens by the road.
A voice emerges.
That voice calls, "From where?"
Mountains, valleys call out their
Answer: ever restless, ever blind
Clouds wander with the wind.

XX

They stop on a snowy field
And leave me alone.
On crutches, his head bandaged,
The little man hobbles again.

He calls me king. He kneels.
He asks me my desire.
I say, "It's clear that I'm alone
And can't move anymore."

He winks. A naked skeleton—
Soldiers after it—runs from afar.
It lifts its legs like a hussy
Among the drunks in a bar.

It skips and dances around me,
Roaring and singing,
"May death forever spin
Around you—an eternal ring!"

From the earth, a horde of women springs.
They roast a child in the fire
And divide its limbs among themselves,
Leaving the head for the dogs.

Dismemberment done, they toss
Me the bones of the child:
"May your body be jawed and gnawed
Down to its living bones!"

קומען אַן ביימער פון איטלעכער זייט,
וויגן זיך טויטע אויף זיי.
וואַרפט זיך אַרויף אויף די ביימער דער ווינט,
וואַרפט אויף די טויטע מיט שניי.

שטעלן די טויטע זיך אויס אין אַ ראָד
אַזוי ווי מען שטייט פאַר אַ טראָן:
— געטאָן זאָל דיר ווערן דאָס אייגענע בייז,
וואָס אונדז איז געוואָרן געטאָן.

אויף אייביק פאַרוויסט זאָל פאַרבלייבן די ערד,
וואו דו האָסט געשפּונען דיין טרוים.
זאָל הענגען דאָרט, אַן אַ פאַרוואָס, אַלע נאַכט
אַן אַנדערער אונטער דיין בוים.

און שטרעקסטו דיין האַנט אַ פאַרבענקטער אַהין —
געליימט זאָל דיר ווערן דיין האַנט.
דערשטיקט זאָלסטו ווערן אין מיטן פון וואָרט,
ווען דו וועסט דערמאָנען דאָס לאַנד.

און שטאַרבנדיק זאָלסטו אַרומוואַגלען אויך,
און קיינמאָל געשטאָרבן ניט זיין,
דערפאַר וואָס דו שלעפּסט מיט דיין קעניגס-טרוים אונדז
אַן אויפהער, לאַנד- אויס און לאַנד-איין. —

הער איך די טויטע מיך שילטן אַזוי,
וויין איך און שעלט זיך אַליין.
פאַלט פון די טויטע דאָס אָמן אויף מיר,
אַזוי ווי אַ שטיין נאָך אַ שטיין.

קומט אין אַ ליידיקן וואָגן געשפּאַנט
אַ פערד, ווי דער שניי אַזוי ווייס.
הענגט אים געפרוירן דאָס בלוט פונעם מויל,
גלאַנצט אויף זיין גריווע דאָס אייז.

שטרעק איך צום מענטשעלע אויס מיינע הענט,
קוקט עס מיך אַן אַזוי קאַלט.
זע איך דעם וואָגן פאַרזונקען אין שניי,
זע איך דאָס פערד ווי עס פאַלט.

Trees close in from every side.
Corpses swing from the trees.
The wind lashes against branches,
Pelting the corpses with snow.

The corpses gather in a circle
Like people before a throne:
"May the same evil be done unto you
That has been done unto us.

"Forever ravaged shall the earth be
Where you have spun your dream.
Without why or wherefore, every night
A man shall be hung from your tree.

"And if you reach out beseechingly,
Your hand shall be paralyzed.
And you shall choke on your every word
When you remember this place.

"And, dying, you shall wander the earth,
But never, never die,
Because you drag us along in your kingly dream
To world's-end endlessly."

When I hear the corpses curse me so,
I cry and curse myself.
The corpses' "Amen" falls on me
Like stone on heavy stone.

A horse, white as snow, comes now,
Hitched to an empty cart.
Its blood hangs frozen from its mouth,
Ice gleams on its mane.

When I reach out my hands to the little man,
He looks at me coldly.
When I see the wagon sunk in the snow,
The horse stumbles and falls.

טראָגט זיך אַ קול דורכן ווינט, דורך דער נאַכט,
רופט עס — אַהאַי! — און — אַהאַ! —
קוק איך זיך אום, אין דער ווייט, אין דער ברייט
איז שוין מער קיינער ניטאָ.

XXV

דורך דער וועלט די באַנען וועלן
פאַר דעם טאָג פאַראויס זיך יאָגן.
שיפן וועלן איבער ימים
זין צו זייערע טאַטעס טראָגן.

איך וועל מיט אַ שיף זיך שפּילן
וואָס וועט אויף אַ בלוט־ים ברענען,
און וועט מער שוין קיינמאָל, קיינמאָל
צו קיין ברעג ניט קומען קענען. — — —

ווען איך וועל טויט זיין הייב מיך אויף
און בינד מיך אויף אַ פערד אַרויף,
און לאָז אַזוי מיך טויטערהייט
פון קיינעם ניט אין וועג באַגלייט.
ביז איך וועל טריט ביי טריט אַליין
צעפאַלן זיך אויף גראָז און שטיין.
און דו, וואָס דו האָסט אָפּגעווויסט
דיין לעבן לעבן מיר אומזיסט, —
פאַרטיליק דעם לעצטן צייכן דאָ
פון דעם, וואָס איז שוין מער נישטאָ.
זאָל זיין, אַז בלויז אַ טרוים פון שרעק
איז דאָ געווען און איז אַוועק.
מיך האָט דאָ קיינער ניט געזען,
איך בין דאָ קיינמאָל ניט געווען.

Through the wind, through the night a voice drifts,
Calling "Ahoy!" and "Aho!"
When I look into the distance and wind,
I see nothing at all.

XXV

Through the world the trains
Will race ahead of dawns.
Ships will carry sons
Overseas to fathers.

I'll toy with a great ship
Burning on blood-red waters,
A ship that's destined never
To land on any shore.

Raise me up when I am dead
And tie me high upon a horse;
In death, in life, an isolate,
Let no one follow in the march.
Let me, step by step, alone,
Disintegrate on grass and stone.
And you, who fruitlessly near me
Spent your life, annihilate
The final signs of what is not.
It should seem that a dream of fear
That was, is gone. I disappear
In death. In life I was never here.

Notes

I · OUR GARDEN

Between Smoking Chimneys

ll. 21–24: The Yiddish idiom *zitsn in gehakte vundn* means literally, "to sit with hacked wounds," colloquially, to sit on pins and needles, i.e., although in agony, to sit still.

The First Spring Day

Here is a fresh interpretation of the didactic Yiddish spring songs by the Labor poets, such as Morris Rosenfeld's pastoral "Friling" (Spring) and David Edelstat's political "Der Friling." Halpern's poem first appeared in *Tsukunft* (May 1914), alongside such conventional spring songs.

l. 34: Notice the disintegrating form of the poem, as the rhymed hexameter couplets give way to odd, unrhymed lines in the Yiddish.

Good-day, Dear Sun!

The Yiddish "Got-helf, libe zun!" plays on the literal meaning of the first two words, literally, "God help." In common speech, this is a salutation, like "Good-day"; but in reference to the helpless little man, it reads as an ironic appeal for God's assistance. This poem first appeared in *Der Groyser Kundes* 9, no. 32 (30 July 1919), p. 7, as "A gut elif, libe zun."

Tuesday

The Yiddish "Dinstik" puns on the name of the midweek working day and the words for "serve" and "earn"— *dinen* and *fardinen*. First appeared as "In eyner a shtub" in *Der Groyser Kundes* 9, no. 32 (30 July 1919), p. 7.

l. 20 (Yiddish), 18 (English): *Yama* is the name of an imaginary country in Yiddish lore, translated here as "Neverland."

It Shall Come to Pass

The title echoes Micah's prophecy of the end of days (4:1–4).

l. 15 (Yiddish), 9 (English): Halpern's messianic figure takes the form of the girl's *getrayer*, "beloved." The Yiddish triplets are translated here as couplets.

Gingeli

"Gingeli," pronounced with a hard *g*, is a made-up woman's name. She reappears in "With Wine."

Pan Jablowski

The Yiddish title was printed in English letters to stress the foreignness of the protagonist. "Pan" was a title of Polish nobility.

This is the second of four sections comprising this narrative poem that tells of a gentile Polish landowner who, having lost his fortune, has immigrated to America where he works in a café kitchen.

II · IN A FOREIGN WORLD

In a Foreign World

The idiom *in der fremd* means "away from home" or, literally, "in the foreignness." It connotes the alienation of the Jews in the Diaspora.

III, ll. 7–8: This free translation supports my reading of the poem. Literally, these lines read:

> Like foam the happiness of love flows from me
> Like foam my heart's most beautiful dream flows from me.

VII, l. 49: "a new light" refers to the Haskalah or Jewish Enlightenment.

Leyb-Bear

This proper name means "lion-bear." The coy reference of "Leyb" to Moyshe-Leyb Halpern connects the butt of the joke with the comedian objectifying his own foibles. The ferocious animals of the name contrast with the terrified man.

l. 18: *Shul* and *kloyz* both denote a synagogue or a prayer house.

l. 20: Jewish men traditionally face the eastern wall when they pray.

l. 31: A *shabes-goy* is a gentile hired to do household chores, such as lighting the oven or fire, forbidden to Jews on the Sabbath.

ll. 66, 72. In Yiddish, *rebbe* means rabbi or teacher; *peyes* are the sidecurls of a religious Jew.

Homesick

A literal translation of the title is the imperative, "Long for home."

l. 7: *Leyb,* lion, refers back to Leyb-Bear's name in the preceding poem. In the paradox of the immigrant's longing, even the lion—a biblical symbol of strength—would destroy itself. The little man *(dos mentshl)* who merely bears the lion's name can only weep over the past; he cannot retrieve or change it. Other translators have misread the word *leyb* as *layb* (body).

Portrait: My Grandfather

II, ll. 9–12: This image of the dead grandfather seems to parody the portrayal in the Book of Revelation of Christ with a sword in his mouth.

III, l. 14: The most pious of Jewish men arise at midnight for study and prayer in commemoration of the destruction of the Temple in Jerusalem.

IV, l. 5: In Jewish lore, the number seven represents messianic completion or perfection. The seven resurrected corpses here suggest that the immigrant's ambivalence toward the past will continue to disturb his rest until the unlikely coming of the Messiah.

IV, l. 13 (Yiddish), 10 (English): "The Jews' Watchword" refers to the Hebrew prayer, the Shema, which proclaims, "Hear, O Israel, the Lord our God, the Lord is One."

III · BLOND AND BLUE

Just Try and Get Rid of Them

The Yiddish title translates literally as "go drive them off," but implies the challenge made explicit in the English.

A Good Dream

l. 4 (Yiddish), 3 (English): Moyshe-Leyb is a character who appears in "Gingeli," "Buzzing," "Memento Mori," and "Madame—."

Buzzing

The Yiddish title, "Zshum-zshum-zshum," simply denotes a buzzing sound.

Memento Mori

The title is written in Latin characters, although it is not known if Halpern meant it to be read literally, as the Latin command, "Remember that you must die," or as the English noun that command has become, denoting a death's-head or other reminders of mortality.

l. 5: The refrain turns on the internal rhyme of *gleybn* (believe) and *Moyshe-Leybn* (the ordinary dative inflection of the name). The rhyme emphasizes that no one will actually believe Moyshe-Leyb the poet.

Madame—

ll. 21–22: The mermaid awaits her destined bridegroom in the Jewish tradition.

ll. 41–43: Heinrich Heine's *Nordsee* (North Sea) consists of two cycles of poems set at the seaside and on board a ship. Perhaps Halpern, who was one of Heine's Yiddish translators, had this poem in mind when he wrote his shipboard cycle, "In a Foreign World." Both poems are spoken by lovers with historical, mythological, and political sensibilities, in whose imaginations the beloved expands to the powers of a maternal savior, reminiscent of the *Shekhinah*, the feminine divine presence of Jewish lore.

Ladushka

Ladushka—here, a woman's name—is an old-fashioned provincial Russian term of endearment from the word for a small river vessel. In Yiddish, *ladish* denotes an earthen milk pot or jar; a diminutive—*ladishke*—also exists. This is the last poem in a cycle of six, contrasting a gentile whore and a Jewish virgin.

ll. 10–11, 19: In Jewish tradition, a bride's head is shaved just before her wedding and kept covered afterward so that her tresses will not tempt men other than her husband. In contrast, the spinster keeps her braid until it turns gray.

Album Phrases

ll. 2, 9: The bright and dark women have roots in the mystical entity, the *Shekhinah,* the feminine aspect of the divinity, which follows the Jews in exile. The *Shekhinah,* in the form of wife, mother, and daughter, judges mankind with both compassion and severity. Sometimes the *Shekhinah*'s duality is symbolized by Rachel and Leah in Jewish mystical writing.

With Wine

l. 6 (Yiddish), 5 (English): The Princess Gingeli and Yohama the dreamer are fairy-tale characters who represent the narrator and his beloved.

l. 19: Halpern puns on *trakht* ("womb") and *batrakhtn* ("to consider" or "contemplate") in the Yiddish.

And You, Another's Woman

The idiom of the Yiddish title, *Un du, a fremdns froy,* echoes the title of Halpern's narrative poem, "In der fremd" ("In a Foreign World").

Tell

l. 1: This entreaty alludes to Hayyim Nahman Bialik's popular Hebrew love poem, "Hakhnisini tahat kenafekh.":

> Take me under your wing,
> And be mother and sister to me,
> And your breast will be shelter for my head,
> Nest for my exiled prayers.

Here the female figure evokes an image of the *Shekhinah.*

Hee-Hee

The Yiddish *khi-khi* comes from the verb *khikhn* ("to giggle").

l. 2: There is a bilingual pun here: the Yiddish *morgn-foygl* is a neologism that sounds like the word for butterfly, *zumer-feygl;* the Yiddish *flater-fli,* a nonsense name, sounds like the English "butterfly."

Isaac Leybush Peretz

Isaac Leybush Peretz (1852–1915) was a major figure in Yiddish literature and Yiddishism. He lived in Warsaw, where he wrote in many genres and collected Hasidic tales and folksongs. He was also a publisher, critic, and editor. After his death in April 1915, numerous elegies and eulogies appeared in the Jewish press. An earlier version of this poem appeared in *Literatur un Leben* 2, no. 5 (May 1915) with six other elegies by members of *Di Yunge*. All seven poems, untitled and credited to the authors in small print, seem to form a single, continuous elegy. Of these, Halpern's is the only real occasional poem.

Halpern's poem suggests an anti-Kaddish, for it never mentions God in praise, condemns the Jews for their ways, and predicts not resurrection, but universal death, all in contrast to the traditional Jewish prayer of mourning.

l. 1: The familiar form *du* establishes intimacy between speaker and subject, flouting the traditional formality of the elegy.

l. 15 (Yiddish), 14 (English): In Yiddish, Halpern makes a pun with *neger-flaysh* ("Negro-flesh") and the idiomatic *tsum shvartsn yor!* ("to hell with it"; literally, "to the black year").

ll. 16–19 (Yiddish), 15–18 (English): The pairing of Torahs and hog bristles plays blasphemously on a conventional anti-Semitic stereotype of the Jews as greedy, dishonest money-mongers.

l. 20 (Yiddish), 19 (English): The "great hero" Jacob is portrayed here in the disparaging terms with which Jews traditionally refer to the renegade Esau.

ll. 22–23 (Yiddish), 21–22 (English): This is a garbled version of Matthew 26:14. Halpern collapses the story of Jesus and Judas for the sake of a bitter irony in which Jesus himself becomes the mercantile betrayer, not the savior, of mankind.

l. 30: "Oak giants" alludes to Isaiah 6:13.

l. 33 (Yiddish), 32 (English): The phrase *an onhoyb-sof* ("a beginning-end") alludes ironically to Jesus' words to John in Revelation 22:12–13, where Jesus announces his second coming and the messianic age.

ll. 36–46 (Yiddish), 35–45 (English): The litany of questions echoes Job 3:11–12, 16, 20–23, and the imagery of lions and ravens, Job 38:39–41.

After Mourning

The *shiveh* is the traditional seven-day mourning period in which the bereaved formally renounce the business of life and spend the week praying and accepting condolences from the community.

For No Good Reason

The idiom *glat-azoy* means "simple as that."

Zero

The cipher is spelled out in English just to avoid the confusion that could arise between a number and a letter.

I Play

l. 6: *Pomoren* is the Yiddish name for Pomeronien or Pomerania, an old Polish Baltic sea-coast province, through which passed trade from the east to the west.

In the Middle of the Night

l. 1: The Yiddish *oysgetrakht*, "invented," echoes Moyshe-Leyb's pondering of the world *(dertrakhtn der velt)* in "For No Good Reason."

Hilda, Write to Me

ll. 10–12: The Christ figure in white walking on the water recalls "Death" in "Memento Mori" and Heine's Christ in *Nordsee* XXIV.

ll. 17–22: The horseman is depicted in imagery reminiscent of Daniel 11:40 and Revelation 9:16–17.

V · A NIGHT

The following selections are from the twenty-five-part narrative poem, in which the narrator falls asleep and dreams of a pogrom in which his father is hanged, the world is destroyed, and the Messiah perishes.

VIII, l. 4: *Dos mentshele* ("the little man"), the perverse survivor of disaster and disillusionment, is a variation of the conventional Yiddish *schlemiel* and perhaps of Heine's *männchen klein und putzig* from "Traumbilder IV."

X, l. 15 (Yiddish), 16 (English): *A shtrayml* is the fur-trimmed hat worn by rabbis and Hasidic Jews for the Sabbath and holidays.

l. 23 (Yiddish), 24 (English): *Dos ay-liu-liu* is the refrain of a lullaby. Here it forms an exaggerated rhyme with *aroyf-tsu-tsu* (literally, "up-to-to"), emphasizing the false piety of the little man's upward gaze.

XII, l. 11: The 1919 edition printed *ponim* ("face") instead of *kop* ("head"). Here it is translated as "face."

l. 13: Groshen is a Polish grosz, a penny or small coin.

l. 17: *Der porets*—the gentile landowner—and his dog are conventional threatening figures in Yiddish literature.

l. 28: *Skhar-limed gelt* ("compensation for learning") is tuition money for the young boy's schooling in the *kheder,* or traditional religious school.

XIII, l. 20: A *shul* is a synagogue or prayer house. A *kloyz* is a small *shul.*

ll. 21–22: In one terrible type of atrocity, the pogromists would slit open a woman's abdomen and stuff it with feathers from bedding.

l. 29: The woman's eyes are green with insanity and rage. In Yiddish, one sees yellow and green *(men zet gel un grin)* rather than red in anger.

ll. 38–39: The red and blue-and-white flags represent respectively socialism and Zionism.

XVI, l. 14: The soldier whose name is *shviente-dukh* (a Yiddish transcription of the Polish "Holy Spirit") apparently has raped the sister.

l. 26: *Gepeygerte,* the past participle of the verb *peygern,* denotes specifically the death of an animal as distinguished from a human being.

XIX, l. 5: *Tsholent* is a baked dish of meat, potatoes, and vegetables, served on the Sabbath but prepared the day before and kept warm, in accordance with the law that forbids lighting a fire and working on the Sabbath.

l. 18: The *pushke* or almsbox is a symbol of the charity required of the individual and community by Jewish custom and law.

l. 24: *Tallis*—a prayer shawl.

l. 25: *Di mite,* in Jewish custom, is the stretcher on which a corpse is placed or carried.

ll. 33–34: The chain is the golden chain of Jewish tradition and peoplehood.

ll. 35–36: Religious Jewish men wind the thongs of the *tefillin* seven times around their left arms.

ll. 37–38: The dreamer finds himself in Egypt, "the country by the Nile," like Joseph, also a dreamer, who was sold into slavery by his brothers (Gen. 37:19–28).

ll. 39–40: In Genesis, Joseph was stripped twice: once by his brothers of his coat of many colors (Gen. 37:23) and once by his Egyptian master's wife, who, failing to seduce him, accused him of attempted rape (Gen. 39:10–12).

ll. 52–68: These lines refer to the Egyptians' enslavement of the Jews, to whose cry God listens and responds (Exod. 2:23–24).

ll. 69–78: An encapsulated version of the Jews' exodus from Egypt across the miraculously parted Red Sea and the demise of the Egyptian army (Exod. 13:9–31).

ll. 80–91 (Yiddish), 79–88 (English): A retelling of the Jews' forty years of wandering in the wilderness (Exod. 15:22 ff. and Num. 14:33; 32:13).

ll. 98–107 (Yiddish), 95–104 (English): The Jews enter the land of milk and honey and settle there (Exod. 3:8; Josh. 3).

ll. 116 ff. (Yiddish), 113 ff. (English): The narrator envisions himself as the Messiah in white garments on a white horse (Rev. 6:2; 19:11), but, unlike the conquering Christian Messiah, without a crown or sword.

ll. 154–83 (Yiddish), 151–80 (English): A retelling of the crucifixion of Jesus (John 18:33–19:30; Matt. 27:11–50; Mark 15:1–37).

ll. 206–8 (Yiddish), 203–5 (English): The cross pursues the crucified man who speaks for the Jewish people.

XX, l. 12 (Yiddish), 11–12 (English): See "Isaac Leybush Peretz," ll. 8–9.

אין ניו-יאָרק

פון

משה לייב האַלפּערן

פאַרלאַג מתנות ניו יאָרק

Title page of In New York, *3d edition (New York: Farlag Matones, 1954).*

Selected Bibliography

Works by Moyshe-Leyb Halpern

1913 "In Der Fremd." In *Shriftn: Tsveytes Zamlbukh,* pp. 7–20. New York: Farlag Amerika.

1915 "Isaac Leybush Peretz." *Literatur un Leben* 2, no. 5, pp. 10–11.

1916 "A Nakht." In *East Broadway: Zamlbukh,* edited by Halpern and Menachem Boraisha. New York: Literaturisher Farlag.

1918 Translation of "Deutschland: Eine Winter Märchen" ("Daytshland: A Vinters Maysele") by Heinrich Heine. In *Di Verk fun Heinrich Heine,* vol. 8 (second half), pp. 1–106. New York: Farlag Yidish.

1919 *In New York.* New York: Farlag Vinkel.

1924 *Di Goldene Pave.* Cleveland: Farlag Yidish.

1927 *In New York,* 2d ed. New York and Warsaw: Kultur-Lige.

1934 *Moyshe-Leyb Halpern.* Edited by Eliezer Greenberg. 2 vols. New York: Moyshe-Leyb Halpern Comitet.

1954 *Di Goldene Pave,* 2d ed. New York: Farlag Matones.
In New York, 3d ed. New York: Farlag Matones.

Works Including Moyshe-Leyb Halpern in Translation

Howe, Irving, and Greenberg, Eliezer, eds. *A Treasury of Yiddish Poetry.* New York: Holt, Rinehart & Winston, 1972.

Leftwich, Joseph, ed. *The Golden Peacock: An Anthology of Yiddish Poetry Translated into English Verse.* London: Robert Anscombe and Co., 1939.

Schwartz, Howard, and Rudolf, Anthony, eds. *Voices within the Ark.* New York: Avon, 1980.

Whitman, Ruth, ed. and trans. An *Anthology of Modern Yiddish Poetry: Bilingual Edition.* New York: October House, 1966.

Works about Moyshe-Leyb Halpern

IN YIDDISH

Greenberg, Eliezer, "Bio-bibliografishe notitzn." In *Moyshe-Leyb Halpern,* vol. 1, pp. 15–30. New York: Moyshe-Leyb Halpern Comitet, 1934.

———. *Moyshe-Leyb Halpern: in ram fun zayn dor*. New York: M.-L. Halpern Arbeter Ring Branch 450, 1942.

Kharlash, Yitzkhak. "Moyshe-Leyb Halpern." In *Leksikon fun der nayer yidisher literatur*, edited by Sh. Niger and I. Shatsky, vol. 3, pp. 31–37. New York: CYCO, 1963.

Minkoff, N. B. "Algemeyne tendentsen in der moderner yidisher literatur." *Yidisher Kemfer* 21, no. 450 (22 May 1942), pp. 90–96.

Shmeruk, Khone. "Umbekante shafungen fun Moyshe-Leyb Halpern: der zakhri-mirtl roman un zayne proze-vandlungen." *Di Goldene Keyt*, no.75 (1972), pp. 212–29.

Shtaynberg, Noyakh. "M.-L. Halpern." In *Yung Amerika*, pp. 201–32. New York: Farlag Leben, 1917.

Vaynper, Z. *Moyshe-Leyb Halpern*. New York: Farlag Oyfkum, 1940.

IN ENGLISH

Biletzky, Israel Ch. *Essays on Yiddish Poetry and Prose Writers of the Twentieth Century*. Translated by Yirmiyahu Haggi. Tel Aviv: I. L. Peretz Library, 1969.

Howe, Irving. *World of Our Fathers*. New York: Harcourt Brace Jovanovich, 1976.

Liptzin, Sol. *The Flowering of Yiddish Literature*. New York: Thomas Yoseloff Publisher, 1963.

Madison, Charles. *Yiddish Literature: Its Scope and Major Writers*. New York: Schocken Books, 1971.

Roback, A. A. *The Story of Yiddish Literature*. New York: YIVO, 1940.

Roskies, David. "The Apocalyptic Theme in Yiddish Narrative Poetry." *Working Papers in Yiddish and East European Jewish Studies*, no. 24. New York: YIVO, 1977.

———. "The Pogrom Poem." *Notre Dame English Journal* 11 (1979): 89–113.

Wisse, Ruth R. "A Yiddish Poet in America." *Commentary* 70, no. 1 (July 1980), pp. 35–41.

———. "*Di Yunge* and the Problems of Jewish Aestheticism." *Jewish Social Sciences* 38: (1976): 265–76.

———. "*Di Yunge*: Immigrants or Exiles?" *Prooftexts* 1 (1981): 43–61.

Wolitz, Seth L. "Structuring the World View in Halpern's *In New York*." *MJS Annual-Yiddish* 3 (1977): 56–67.